ウェスタン芸者

エバ　ハダシ

ラデゥガ出版
ドニエプル出版

2020

ウクライナ文芸賞・言葉の戴冠式で特別賞（国際承認）を受賞

ウクライナ出身の作家エバ・ハダシが、実体験をもとに書き下ろした衝撃の問題作。

世界中を旅する高学歴ウクライナ美女が、米国留学中にイケメン日本人と出会い結婚。日本での幸せな結婚生活は、やがて泥沼劇に……

「ウェスタン芸者」は隠喩的な表題である。人間関係、ビジネス関係、社会的行動、外国人に対しての扱い、セクシャル関係などについて、日本人のステレオタイプを変える小説だ。また、強い意思、生きる力、復活、自尊心の復元、自己尊厳の確立、人生の肯定的な側面に光を当てる。

ISBN9789662811575
ISBN978-4-88269-900-2

目次

第一章

奥様は瞳が青くて金色の髪の女性

「エバ、これはどう？」義母が聞いた。「二日ほど東京で過ごして、子供たちにお土産を買おう。東京はお土産が豊富に揃っているからね。その後私の友達の家に行こう。ミコちゃんのところ。一緒に働いたことがある人」

「覚えています。資生堂でしたね。初めて妊娠した時に会ったことがあります。その時お母さんは渋谷に住んでいましたね」

「そう、そう。彼女のこと。彼女はずっとアメリカにいた。アメリカ国籍だよ。今は帰国して、家に招待した。彼女はお客さんが大好き。それからちょっと私の家に寄ろう。でもうちの主人と最近は全くダメ！　みんなに怒鳴りつける！　ヒステリックになっている！　つまりそこにはあまり長くいないほうがいい。その後、石村さんのところに行こう。もう待っているから。そこから成田空港に連れて行くからね、近いし」

「素晴らしい！」

「本当はあなたと一緒に行きたい。もううちの主人には耐えられない。すごく疲れた。明雄とはどう？　幸せ？」

「多分幸せです」

「嬉しいわ。全てよくなるように頑張ってちょうだい。離婚しないように…」

義母と新宿でドライブをしながら、パーキングを探していた。どこも満車。でもやっと見つけた。新宿のデパ
に行って、子供たちにブランドの洋服をたくさん買った。私は地味な西松屋がいいと言ったが、結局私にも
買ってもらった。ちょうどキエフで探していた色とデザインだったので、ちょうど良かった。

んのところに着いた。キス、ハグ！　彼女はアメリカ人！　ちょっと台所でバタバタして、テーブ
ミコちゃんはおそらく本当に外見だけが日本人だった。話し方、ふるまい、ハウスキーピングでさ

たんだって?!　カッコイイ！　頭がいい！　結婚したよ…ところで彼女のことを見た？

るわ。そんなキツネ！　見て、見て、あの目！　あんなキツネエエエエエ！」

て、言った。

見た目は二人はあまりマッチングしていない。彼は目が大きくて、彼女の目は小さくて細い…」彼はちょうどそのような目が好き！　でももっともっと見てよ！」と私の義母に言っている。「キんなキツネ！　彼はカッコイイ！　頭がいい！　アメリカ国籍だし！　そんな旦那をもらった！」

食べながら、ミコちゃんは我慢できない。

ね！　マナーも全くない！　七年間もアメリカにいたの！　アメリカ人はマナーも行儀も悪いよ！　聞

！　彼女は台所で足をテーブルの上に乗せて、あそこを掻いている！　私が隣にいたのに！！」

私と義母は静かに座って、怒らずに何も言わなかった。私は独りで考えた。『以前は新婦についてこのような独り言を聞いていたら、自分の結婚生活はそんなに複雑にならなかったのかな。義母の嫉妬のせいで、つまらない事は散々しでかさなかったのに。全て違う、全てダメ！　でも私は教養も、マナーも、才能も、美しさもある！』

「そういえば、この前、紀美子と会ったよ」とミコちゃんが違う話題を始めた。「彼女はいつも同じ話。日本人とのセックスはつまらない…お！　また福島！」もうテレビ番組にコメントをしている。「アメリカでは全てが信頼できる放送だったのに。日本の番組を見た時…まあ、全て大丈夫、日本に問題がある訳じゃない。日本の政府って何？！」

他のお客も集まった。男性も女性も。みんな食べ物や飲み物など何かしら持ってきていた。ある男性はケーキを持ってきた。かぼちゃのチーズケーキだ。

「自分で作ったんだって！」と義母が言った。

「ケーキ？　日本の男性が自分でケーキを作ったの？　うそ！」

超美味しかった！

またミコちゃんは息子の結婚について話し続けた。彼の美しさと独特さについてだ。

「まあ、須田さんのところもハンサムな息子達だね、次男はモデルさん。明雄のことどう思っているの？」ミコちゃんは私に聞いた。明雄は須田さんの長男で私の夫。

「本音でいいですか？　建前なし？」

「いいよ！」

「今まで見た一番ハンサムな日本人！」

「ああ！　ご馳走様でした！」ミコちゃんと私の義母が歓声を上げた。

そのような飲み会だった。心がとても軽かった。それは私が長年侘しく暮らした同じ日本なのか、と考えた。

パーティーが終わった。また運転中。

「何でミコちゃんはそんなに早くクビになったのですか？」義母に聞いた。

「上司には大変だった。だって、彼女はマイウェイ……」

こうして私が日本へ出張した時には、義母とは自然な付き合いをしていた。当時、私はキエフからやってきた。
エフには既にほぼ二年間、夫と二人の子供と一緒に暮らしていた。これまで日本には七年間暮らしていた。
いた時期はいろいろな事があった。夫とは留学中にアメリカのボストンで知り合った……
自信家であり、インテリで、高学歴で、野心家である女性がどうして突然結婚したのか？
婚生活が女性にも男性にも迷惑なことは良く知られている。子供の頃読み聞かせた昔話も、大人に
と、結婚生活と似たような迷惑なものだったのね。昔話の終わりは？『結婚式に行って、蜂蜜
た。指を加えて見ているだけでした』それからもう一つの昔話ではある『むかしむかしあると
おばあさんがくらしていました』真ん中の一番長くて、重要な共同生活の部分は舞台裏だ。

それは全く昔話ではないね。

それはさておき。実用的で多くの側面で豊かな経験があり、二十五歳であった私は結婚について理論的にしか考えていなかった。キャリアや輝きや贅沢な生活に向かっていて、その輝きを無意識に自分の子供達に差し上げるつもりだった。私は国の一番有名な大学で二つ目の高学歴を得て、留学も含めて、いろいろな学習やトレーニングを終了し、私はそれなりに一流であり、自信をもって生活を送っていた。

どうやってたった三年で私は結婚してしまったのか？　それに日本人と？　実は私にはフィアンセの問題がなかったけれど、結婚の話は冗談のように受けていた。私の周りの人の大多数も独身だったし、全てが希望に満ちていた。しかし、周りをよく見回して、世界を巡り歩いて、色んな人とコミュニケーションを取れば取るほど、やはり子供と夫という家族が必要になるということがよく分かるようになった。そういう訳で目標をもって夫を探し始めたとは言えないが、その時から頭の中は、将来の結婚相手である二人の子供のお父さんに対する一定の基準が固まっていた。それで徐々にその立場から男性に目を向けるようになった。でも、私にとって将来のペットのような役割は魅力的には感じられなかった。例えば、「でも料理を作るのは週一回しかできない」と私は言った。不思議なことに、誰も否定しなかった。「いいよ！」、「いいよ！　ぼくは料理が上手」それで一番現実的な返事はこうだった。「いいよ！　あまり手がかからないようにどうしたらいいか教えてあげる」このようなとても素敵な男性たちに出会っていた。

みんな子供を欲しがり「子供を産んで欲しい」と言っていた。なぜそこまで冒険しようとしていたのか。その後、夫は何度も言っていた「あなたは母親としてのポテンシャルが高い！」おそらく、その時は他の男性もそのポテンシャルを感じていたのかもしれないが、それを見分けるのがとても大変だった！　いわゆる『ハリウッド・マリッジ』の輝きは、はい。疑わしいもので、料理を作ったり、掃除をしたり、子供の面倒をみたり、日常的に夫の世話をしたりする妻であり、ロマンス映画で見た世話の話には程遠いものだ。私には判断できないけど。

スウェーデンにいた時に短期間でプロポーズされ、それは新記録だった。恰幅のよい男性が交際から二時間後に「家庭こそが全ての根底だ」というプロポーズをした。そこには金髪で瞳が青い女性が非常に多いけど、私は彼とどんな話をしたのか？　どんな魅力だったのか？　私は実際にあること、実際に考えたことについてのとても簡単な話をした。

彼の心を射とめたのは、オスロ発ストックホルム行きの夜行バスに乗っていた時だった。バスは半分空席だった。ほぼ全ての乗客が二席を使って寝ていた。短時間の停車で私は何人が降りて、何人が戻ったのかを無意識に覚えていた。ある停車で運転手は何とか早めに出発したが、私は降りた乗客がまだ戻っていないことに気がついた。もちろんとても眠かったが、私はふらふら歩きながら運転手のところに行って、まだ乗客がバスに戻っていないことを言った。運転手は戻って、何人かの乗客がほっとして乗ってきた。その簡単な出来事が知り合うきっかけになった。前に座っていた男性が振り向いてにこにこしながら問いかけた。

「あなたはどこから？」

「東欧」

「東欧？」もっと優しくにこにこした。

「具体的な国名は？」、「ウクライナ」、「それはどこ？」などなどの、幼稚な会話を続けたくはなかった。すごく眠かったし。

「この国ではもう誰も決してそんなふうにはしない。みんなには関係ない」彼は言った。

「すみません、もう寝ていいですか？」

彼は迷惑をかけなかった。バスを降りた時、何か手伝おうかと聞いた。私の旅は余分なものをもたずに小さなバックパックだけだったので、街のガイドをしてもらうことになった。

早朝。新鮮な空気に魅せられた。まだ全て閉まっていた。私たちはストックホルムの風光明媚な所でベンチに座って、話した。

「家庭こそが全ての根底だ。結婚してくれる？」

「大学を卒業するまでまだ一年あります」

「待ちます」

私たちは電話番号を交換した。彼は私に電話をした。四月になって、もう引っ越しの準備を初めているかどうか聞かれたが、私は去った。ごめんなさい。違う選択をした。もっと難しい……

「おまえはギャングかヤクザか！」オックスフォードであるイギリス人がきっぱり言った。

「何で？　私は普通の学生です」

「そしたら、おまえのお父さんか伯父さんがギャングかヤクザか！　そうじゃなかったら、ここで何をしているの？！」

あ！　ロジックが分かった。『物価が高い国で、自分の国は平均月収が十ドルなのに』という意味だ。もし今お金が空から私のところに降ってきたら？　そんなことは永久にないね。だから充実した生活を送っている。普通は人生の終わりに（節約してから）やろうとすることを今している。あちこちに留学している。色々な国を旅している……

近いので、ダブリンにも寄ろうと思った。しかし、そこはシェンゲン圏でもなく、イギリスでもない。違うビザが必要だ。周りのみんなに色々詳しく聞いた後、私のための逃げ道が見つかった（もう閉まっている）。飛行機だと、当然パスポートを見せないといけない。バスで行っても同じ。しかし、もし電車でフェリー乗り場まで行って、それからフェリーに乗ったら、パスワードだけで済む。

フェリーに乗った。そこではアメリカ人のトランスヴェスタイトが周りのアイルランド人に話を聞かせている。

「私は貧乏なアメリカ人、誰も私を放牧してくれない…」棒をもち、カツラは前髪があり長めのおかっぱで、シルバーグレイの金髪だ。みんなはとても共感を抱いたので、彼女は金貨の入った袋をもって上陸した。

まぁ、私は見ている、聞いている、人生を学んでいる。


…ホテルなら何か変だと疑われるので、ホステルに泊まった。ルームメイトはフランス人とイタリア人とスペイン人だった。みんなは仕事を探しに来ていた。まぁ……観光バスで街を観光している。その日は美術館が閉まっていた（月曜日だったかもしれない）が、ギネスのビールは持ち帰るほどだった！　ギネスで降りた。ガイドは冗談を言った。

「美術館が開いていても、誰もそこには行こうとしない、でもギネスはいつも満員！」


…ルクセンブルグ。ガイドが教えてくれた。

「ルクセンブルグには大学がありません。だから普通はフランスかドイツかイタリアの大学に行きます」

私は驚いた。ルクセンブルグはそんなに小さな国ではない。多くのヨーロッパ人はヨーロッパの中心だと思っている。（親愛なるウクライナ人、怒らないで。私はヨーロッパの中心が西ウクライナにあるということをよく知っている。）それで、大学が一つもないなんて！


…オーストリア。オーストリアの警察官が自転車で年配のアメリカ人カップルの横を通った。

「あ！　あなたのカルチャー！」壁にあるグラフィッティを指した。

「私たちはそんなことをしていません」警察官の後ろを見ながら礼儀正しいアメリカ人カップルが冷静に答え

た。

私は一人旅をして自分で探るのが大好きだった。訪問者に対して人目を引くようなことしかしない人はやはり注目を浴びることとしかしない。

毎回、海外にいると異文化の人々とのコミュニケーションが何よりも重要だった。忘れられない、おそらく一番刺激的だったのはオックスフォードの言語学校への留学。私はイギリスに恋に落ちた。イギリスの社交性、率直さ、いわゆる清教徒の信仰、生活様式、パブ、多くの人にとっては魅力のないシンプルな料理。イギリスで必要なことや大切なことをたくさん学んだ。英語が生まれた国で英語を学ぶのがユニークな経験になった。

学生達はいつでも勉強を始めることができ、好きなだけ学んで、それでまたいつも通りの生活に戻る。グループはもちろん、ヨーロッパ人、多くのラテンアメリカ人、日本人も含めたアジア人、多国籍な集まりだった。私の娘たちも同じような経験を得て欲しいものだ。それは、言語の学びだけではなく、国際的な相互理解の意味においても成長、発達、刺激になるからだ。

オックスフォードでは多くのイベントに参加した。屋外でのシェークスピアの芝居や、古いコンサートホールでのクラシックコンサートや、オペラなど。

ある日、オペラから家に戻る時、路上からサクソフォンの音が聞こえた。ムラートはドレッドヘアで、露出したトルソーの格好で、心を込めて自由に吹いていた。私は隣に座って、音楽を聴いて、ピカピカなサクソフォンを奏でるチョコレート色の指を見た。とても印象的だった。突然、イギリスの女性達がやってきた。

「私は明日結婚式！　私たち……」

習慣として何か書かないといけなかったし、やらなければいけなかった。女性達は彼のことをハグ、キスして、立ち去った。私も十分に曲を聴いた。

「では、帰ります」と言った。

「残って」

そのドレッドヘア……そのトルソー……そのサックス……そしてその声……

私は残ることにした。

彼は姉とレディングに同居しており、私はゴルドンとローズと一緒にオックスフォードに住んでいた。デートはロンドンのカムデン・タウンでしていた。

「イギリスが好きだったら、そのようなところもほっとかないで」と彼は言った。

彼はまず路上で演奏し、私はうろうろしていた。あるジャズクラブを見つけた。無料で誘われた。

「私一人じゃないけど」

「一人じゃなくてもいいですよ」

「はい、行きます」

遠くから私のサクソフォン奏者を見た。ほとんどの女性は彼を指で触ろうとした。本当に彼はとても印象的だった。彼の反応はとても地味だったけど。

その後、彼はイギリスからバルセロナに引っ越しすることになった。ヴィーガンは生活しやすくて、気候は暖かい。空港まで送った……

空港へ行く途中、警察官がやってきた。ヴィーガンは背中に袋があり、私は素敵なレディーだ。

「どこへ行きますか？」

「空港です」

「隣のレディーは？」警察官の声が震え始めた。

「彼女も。ビジネス・トリップです。出張だよ！」

私は事実関係の同意を示すために、トリニティ・リングのついたコントラストのある自分の手を彼の手に重ねた。若い警察官もムラートであり蒼白。

…次の日、言語学校で私は少し取り乱した。しかしアイスランド出身のビョークのおかげで（はい、有名なシンガーと同じだ）、全て大丈夫だった。彼女は同級生だったが、自然なルックスをもったアイスランドの国会議員のマダムで、彼女もよく熱っぽくなった。（なぜかは、通知表に私がグループの中心人物だったことが書いてあったからだ。）彼女は普通の学生と違って、浅い返事ではなく、意識的に細部を見抜くような人だった。

例えば、問題だ。人の体を描いて、それで全ての体の部分の名前を書かないといけなかった。彼女は想像しにくいところまで書いた。一瞬で！　教師はそれを見て、

「はい、終わりです。用紙を提出してください」と言った。

私は彼女にちょっとアイスランドの作家について聞いた。彼女は『独立の民』という題名の本を勧めた。本屋さんにあった。買った。ところで、本屋さんの店員は私のことを『メロマニアック』と思ったかも。もちろん、いいお客さんだったし、いつも何か『味のある本』を買った。その後、空港でオーバーウェイトだったが、その問題も何とか解決した。

週末はデンマークにも行った。

コペンハーゲンでアメリカ人の哲学者と知り合った。

「アメリカも味わいたい」と彼に言った。

「アメリカに行く必要なんてない。そこでやることはない！　そこには精神の空虚さがあるんだ。僕は日本にも精神を探すために行ったけど、代わりにすごい空虚さにぶつかってきた。日本の若い女性は電車で一時間ぐらい化粧するわけ。手に本でも持てば？　近づきやすすぎるし！」

どう見ても相手と最初で最後に会うと知っていたら、映画でさえ、本でも読むことができないような、思いもよらぬ発見に普通は出くわすのに……

ウクライナに帰る直前に、バッキンガム宮殿のチケットがあったけれど（一部の部屋は自由に見ることができるが、予めチケットを買わなければいけない）、やはりサクソフォン奏者に会うためにバルセロナへ向かった。

空港に向かう時、ある同行者と話した。

「一緒にパリに行こう」

「パリにはもう行ったことがあります」

「僕と残って」

「私はバルセロナへ行きます」

「だったら、僕もバルセロナへ行く」

「あなたはそこにいて喜ばれるとは思わない」

「一緒になろう。僕はロンドンに一軒家、テレビ局での仕事がある！　それ以外、あなたにとって何が必要なの？」

本当にそれ以外に何が必要だったのか？

バルセロナでも私たちのカップルはとても印象的だった。私のサクソフォン奏者は詩も詠んだ。詩集が出版された。実は彼の祖先は私が今まで一度も聞いたことがない国の出身だった。国際郵便を発送する時に郵便局にある国のリストで見たことがあるが、小包は（おそらく、ある種類だけ）送ることができない国だった。出発前、彼は私に自分の好きな CD と本をくれた。トニ・モリスンの本が多かった……

「君ってすごい実用的！　僕が苦しんでいるのに、あなたは満面の笑みを浮かべて写真を撮っているんだもん！」

「だって、ガウディ美術館にまた来るか分からないじゃない！　あなたに必要なものは全て渡したし。ところで、あまり木に登らないほうが良かったかも、茨は集まったの？　ほら、刺が刺さってしまっている…」

ウクライナに戻る時、いつもキエフ大学のために何らかの交渉やオファーを持って行った。それについて、私の教授はいつもみんなに言っていた。

「そういうふうにできるように、いつも目も、耳も開けっぱなしにしないといけない！　それこそ国民の外交だ！」

私には中央ヨーロッパ出身の大使の友達がいた。彼と自由にいろいろな話題について話した。ある日、彼が落ち込んでいた。

「あなたは自分の一般パスポートで世界を回って、好きな時に好きな国に行っています。僕は自分の外交パスポートで行かせられているだけです。たまに一人でキエフの町を散歩しています。目立たないように。考えています。時々人が近づいてきて、何か手伝いましょうかと聞いてくれます。僕はいろいろと考えています……ほら！」と突然に彼が言った。「息子を紹介しましょうか？」

『まぁ、紹介してもらっても、どうする？』と私は考えた。彼が『あなたのお父さんは誰？　あなたのお母さんは誰？』と聞くでしょう。それでなんて答えるの？　私たちはあまりに違いすぎるので、多分お互いに合わない……

「ありがとうございます」と答えた。「彼は遠くて、私もいつも旅しています」

二十五歳の誕生日はローマへ！　空港で出入国審査を受けているところ。

「お！　誕生日おめでとう！」係員はにこにこしながら、周りの係員にも伝えた。「今日は彼女の誕生日！」

「誕生日おめでとう！」周りの係員はみんなお祝いの言葉を贈った。

そんなことはおそらくイタリアでしか起こらない。

では、アメリカ、ボストン。出入国審査で初めての質問。

「なぜ早めに来なかったのですか？」

『なぜ早めに来なかったか？　まぁ、いい質問だね！』と思った。

アメリカ人の係員は目をキラキラさせながら、

「昨日は独立記念日だった！　中央広場でカール・オルフの『カルミナ・ブラーナ』が演奏されたし！」

翌日、ボストンの有名な通りだ。通行人が横から近づいてきた。

「あなたはアメリカ人ではないですね。アメリカ人は長い髪をすぐ切るから。見送っていいですか？」

「はい」

彼がまた何か言っている。私はいつも「はい、はい、はい、はい」と答えている。

彼が聞いた。

『『はい』以外、何か言うことができないの？』

「はい」私は答えた。

彼は憮然とした。

「私の名字はウクライナ語から訳したら『むち』と言う意味です」

「あなたが怖い。でもそれは僕を点火させる…」

その後、ボストンで流行っているディスコに一緒に行った。

「ストリップバーで踊ったことはある?」

「いいえ。何でそう思ったの?」

「まぁぁ、あなたの踊りかぁーーーた」

「それはR&B。音楽を感じながら踊っている」

「海岸にも行こう」誘った。

「いいよ。でも今日じゃない」反対しなかった。

彼がまた固まっちゃった、今日の意味ではない、外は真っ暗…


「彼女はバークリー音楽大学で勉強している。絶対いつか有名になる」と彼が私を友達に紹介した。

今度はニューベリー・ストリート(ボストンで最も人気のある通り)へ一緒に行った。通りの起点で、あるホームレスがいつも叫んでいた。

「アメリカは世界一!」

私はいつものように、なかなかの美しさだ。破れているジーンズやスローガンのTシャツはなし。相手も素敵。カフスボタン付き!

喫茶店で地元のファッションのポリシーについての説明が始まった。

「ほら、ここでは外国人だけが決定的な意味を持っているんだ! アメリカ人を見て」指を指して言った。「彼らはおしゃれだと思っている。お出かけしているんだ!」

隣のテーブルに二人のアメリカ人の女性と男性が座っていた。男性は私をジーッと見つめた。見るべきことがあったのだ。ファッショナブルでセンスがよく、それでいて派手すぎず、挑戦的でもなく（ピカピカの雑誌に比べたら、自然なルックスだ）、そしてとても女性らしい。いつものアクセサリーは長くて、ウエストの少し下のストレートの髪、晴れやかな自信と楽天性！

そのテーブルで問題が起こった。

「ただ見ているだけだ」と男性は言ったが、彼の正当化は上手く行かなかった。四つの手で彼の頭を反対側に回して、椅子を並び替えた。暴力までは行かなかった。

「どうやって大学の英語教師になったの？」と私はニヤニヤしている彼に聞いた。

彼は固まっていた。みんなと同じように、グリーンカードについて聞くと思っていたようだったが、私は本当に興味があったことについて聞いた。一代目の移住者で『cardigan』という言葉でさえ知らなかった人が、どうやってボストンの大学で英語教師になれたの？

ところで、アメリカ人はよくお世辞を言う。気持ちいい。刺激になる。

ある朝、バークリー音楽大学に向かっている。ある女性は犬とお散歩。

「すみません、スカートの後ろのホックがはずれていると思うけど」と彼女が言った。

私は手で後ろ触わった。本当だ！

「ありがとう。バタバタしていたからかな」と答えた。

「見た瞬間、セクシー過ぎだなと思った」

まあね、長くて、体にぴったり合う、熟したチェリー色のスカート、エメラルドグリーンのレースのTバックパンティ、そしてそこに下ろしたままの長い金色のストレートの髪……

ソルフェージュの教師はダビデという若い男性だった。彼は自分のことを若い教授と呼んでいた。ランチに誘われた。

「婚姻関係が永遠に続いてほしい……」

実は自信がないせいか恐怖のせいで自分に告白しない人々でさえ、全員それを望んでいる。


メディアセンター。目の前にパソコンを操作している男性が座っている。なかなかかっこいい！　目の前に座っているということはいいことだ。

「ハロー！」彼に輝かしい笑顔を投げかけた。

彼は私の笑顔を自分の長い眉毛でキャッチして、すぐ自分の大きな目に隠して、慌ててパソコンのキーボードに視線を伏せた。

もちろん、もっと彼に注目させようと考えたが、いや、最初は彼から自分で近づいて来て欲しい、と私は決めた。そんなに待つ必要はなかった。彼は日本人だったが、会話は日本的ではなく、いきなり…

「Are you acting somewhere?」

良かった。話す話題がいっぱいだと思った。


ほら、ヘッドホンで美人が音楽を味わっており、顔の皮膚から音楽に満足しているのが分かる。目の前にはCDのジャケット表紙…私の一番好きなCD！　それがきっかけで知り合った。

「あなたは素敵すぎる！」と彼女が言った。

「あなたも！」

友達になった。クハディジャはニューヨーク生まれで、バークリー音楽大学の上級生。彼氏の手紙を読んでくれた。

「でもね、彼はパリの人。私はフランスの音楽が大嫌い！」

授業で実技の教師が提案した。

「今度のレッスンに好きな歌手の録音を持って来てください、みんなで聞きながら、ディスカッションしましょう」

私はクハディジャが聞いていたCDを持って来た。一番派手な部分を聴かせた。

「どこの歌手ですか？」

「アメリカ人」

初めてそのCDを聴いた時、ある曲でCDが停止したのかなと思った。歌手はすごくストレートに、ぴったりな音程で、長い間高音を歌っていた。お！　下に下がって、メロディーを展開させている。CDが傷ついているのではなく、歌手の卓越した磨き上げられたスキルとオリジナリティが素晴らしいのだ。凄い！　私は五枚のCDチェンジャーを持っていた。このCDはいつも長年一番目に入れっぱなしだった。いつも。飽きなかった。他のCDは変えた。

「エバ、CDを止めてくれる？　あなたと話したいのに、その歌手は凄く自分のことを聴かせている」とキエフの男性の友達が言った。

彼は自分で気がつかなかったかもしれないが、実際は素晴らしい褒め言葉だった！　凄い歌い方！　ところで、彼女はバークリー音大でのピアノ専攻だった。ボーカリストではなかった。目撃者によると、地味な生徒だった。なんて素敵なプロフェッショナルな成長なんだ！

…勧められた歌手のリストを作った。

買った。聴いた。参考になった。

次の勧められた歌手のリスト。

買った。聴いた。参考になった。

「クハディジャ、ごめんね、あなたのコンサートに行けない。ニューヨークに行く」

「そのハンサムな日本人と？」

「はい」

「グッドラック、グッドラック！」


二日後に家（寮）に帰った。二人のルームメイトであるイタリア人とノルウェー人が張り合って言った。

「電話は鳴りっぱなし。ピットは夜中の一時まで電話していた。今度私たちに知らせて、誰に何を伝えるか。全く眠れなかった」

「分かりました。すみません、寝不足させて」

それでイタリア人は前に始めた話を続けた。

「店に来たら、『エアードライヤーをください』」と言った。頭に指を指しながら。店員は訳が分からなくて、『どんなエアードライヤーでしょうか？』と言った。私は『呼び方がはっきり分からないけど、頭を乾かすためにエアードライヤーが欲しい。私は外国人だから、理解してみてください』と言った。その後、理解してもらった。ほら、一番安いのを買った、でももう頭は濡れていない」

不思議なことに、イタリア人だけが自分の彼氏を裏切らなかった。私とノルウェー人は突然いきなり自分の人生を変えた。彼女はアメリカ人と婚約し、私は日本人と……

来日は二〇〇三年九月の上旬で、それは私の日本の結婚生活の始まりを意味した。それは初めての日本への旅ではなかった。日本と知り合ったのは九〇年代終わりからだった。魅力的な国だった。色々な粗さもあったが、仕事とキャリアのためにはぴったりだと思った。

初めて日本に触れた時、告白すれば、日本では英語も母国語に見えるようになった。現在までに私は日本語と日本文化の知識の全てのギャップをもう埋めてしまった。キエフ大学の東洋学部で二つ目の学位を得て、日本でも外国でも日本人とよくコミュニケーションを取った。キエフにある同じマンションに二人の日本人女性のお友達も住んでいた。バレエとロシア語を勉強した。つまり様々な視点が既に理解されており、そのお陰で私には自信があった。

明雄はまだアメリカにいた。専攻には関係のない仕事をしていた。私は東京で働いていた。専攻に近い分野だった。観光客としてではなく、自慢のアーティストビザで来日した。

ウェスタンスタイルの結婚式会社で働いていた。とても綺麗で、女性らしい仕事だ。ボーカリストとマネージャーの役目だ（私と一緒に日本語を全く話さない二人のウクライナのボーカリストも来日した）。『埃のない』仕事だけではなく、とても魅了させられる仕事だった。ウェスタン・スタイル・ウェディングは、教会での結婚式も含めて、とてもファッショナブルだった。そのためにお客様はクレームなく、感謝してお金を支払う。そのような結婚式ではできるだけ多くの外国人のスタッフの神父さん、合唱団、マネージメントなどを雇うことが時流だった。その会社では神父さんとしてアメリカ人とカナダ人が働いていた。音楽部門は日本人だった。会社はレーティング・アップを行うために、キエフに目を留めた。

会社のマネージャーがキエフに初めてやってきた時のことを思い出していた。背が高くて、スレンダーな日本人、アジア系の目。ウクライナとの関係はずっと前から徹底的に準備されていた。彼には日本で知り合って、結婚すると約束したウクライナ人の彼女がいた。そういう訳で会社がキエフに目をつけた……

「松岡さんの妻の兄です」日本の共働者を紹介された。

松岡さんはちょうどそのマネージャーだった。彼は結婚しているの？　ウクライナの彼女に全く違うコソコソ話をしていた。彼女はいろいろ期待している。神父さんの仕事が……

でも日本でこのような嘘を初めて聞いた訳ではない。三回目。よって、多分、どこも？　その意味でみんな平等。遠慮なく嘘を言う。普通は法的な妻は見て見ぬふりをするしかない。家計にはあまり負担にならないように。

松岡さんは会社の代理人として二回キエフに来た。二回目は社長と一緒だった。電話で連絡して、打ち合わせの予定を決めた。今後の仕事、私の役割、会社の希望について交渉している。私はまだ学生で、後一年程勉強しないといけないことを説明した。「待ちます」と答えた。会社の規範と、特に謝礼金について話し合いした。というのも、既にウクライナに精通している人が、パン屑で十分だと啓発したからだ。話した後、保証金も頂いたし、謝礼金もかなり上がった。私の準備ができ次第、採用する候補者と日本で待っていると言った。会社の希望はピアニスト・オルガニストとボーカルのカルテットだった。しかし、日本にウクライナのバンドゥーラ奏者を紹介したら、会社はすぐに計画を変更した。もっと面白くて、もっと珍しくて、カルテットより経済的だし。それ以外、バンドゥーラを聴くと日本人は日本の伝統的な楽器、琴の音色を思い浮かべたからだ。

その旅で私たちは結婚式場になる全てのホテルを回った（ところで、日本の特徴の一つは一流ホテルで結婚式をすることだった）。ここは句点をつけてもいいけど…社長は突然ロマンティックな感情が込み上げてきた。

「僕は世界を回って、何億もの人々に会えたけど、あなたのような女性は見たことがない！」

『どんなザワメキ？　そしたら、そんなに見ていなかったでしょう』と考えた。

様々な形で恋に告白された。

ある日、グランドピアノの隣に立ってリハーサルをしていると、二人の噂好きな日本人の女性が入ってきた。二人がお互いに言った。

「すごい綺麗！　誰？」

「団長の彼女」

その会社には外国人がいっぱい働いていたが、挨拶以外はみんなほとんど日本語ができなかったので、日本人はかなり自由にいろいろと話せた。女の子達に怒る理由はなかったけど、社長と真剣に話した。彼の推察！彼女！　来日した瞬間、もう彼女！！　彼は「誰が言った？　誰が言った？」と聞いた。声のトーンを上げなければならなかった。おそらく他の女性はその事情を上手に利用するでしょうが、私はそのニュアンスには興味がなかった。そろそろ自分の結婚式だし。


明雄のお願いで、彼の昔の音楽の先生である有名なプロデューサーに会った。

「彼と働くのは無駄！　時間を守らないし、おしゃべりばっかり」と彼が言った。

「親子だね」と同級生が付け加えた。

私はその時この発言を聞き逃してきた。

「あなたのオーディションをしましょう」

私はセリーヌ・ディオンの一曲を歌った。

「もうちょっと何か歌って、個人レッスンをするかどうかを考えましょう」

私は彼女のレパートリーからあと何曲かを歌った。

「勉強はもういい。すぐにプロデュースしましょう」


明雄はアメリカでうろうろして、ボストンからロサンゼルスまで車で走った。

「アメリカなんて空き地だ！」と言った。アメリカを発見した……


ロサンゼルスで何とか仕事をしようとしていたが、ハリウッドもすぐそばにある。突然、郵便局で銃撃があった。銃弾がちょうど私のフィアンセの前に風を切って飛んだ。ギャングは去って、みんなは通常通りの仕事に戻った。明雄は憤った。

「何で警察を呼ばないの?!」

「何で呼ぶの? 誰も来てくれない。ここはそれが普通のこと…」

このいわゆる『普通のこと』は明雄のアメリカ生活の終わりの理由になった。

彼は永遠にアメリカと別れるために、考えと荷物をまとめている間に、私は将来の義母と会った。

彼の親戚は渋谷区の代々木上原の一軒家に住んでいた。

「素敵なところだね」社長の奥様が言った。

はい、渋谷は東京の中心の区であるということを私は知っていた。代々木上原はその行政機関の寝屋だった。ここは有名人も沢山住んでいた。私の将来の親戚は限られた範囲だけで有名人と呼ばれてもいいのかも。私は巨大な三階建ての一軒家を見た。後に分かったのが、三階建ての家は三人の兄弟に分けられていた。一階には成功した弁護士の家族、三階には有名な心臓学者の医者(日本には弁護士と医者は最も金持ちで尊敬されている社会の階層)、真ん中が私たちだ。三人とも奥さんは専業主婦だった。私を迎えに来た人は若々しくて、几帳面で、スポーティーな日本人の女性(彼女はテニスをやっていた)で、最初に思ったのが私も六十代でそんなに若々しくしたい。

ハウスキーピングは正直なところ、残念な点が多かった。おそらく、片付ける時間がなかったと私は考えた。実際は私が間違えていた。その時、それは完璧なお片づけだったみたい。

家に来た瞬間、彼女は料理をし始めた。私は驚いた。

でも、親愛なるウェスタン・ゲスト、怒らないで。「ほら! 私たちが来たのに、誰も待てなかったみたい!」実は日本の家庭料理の多くは出来上がった際に食べた方がいいし、作るのが結構早い。主婦が客の前で台所でせかせかと動き回りながら、新鮮な料理を出すと、それは光栄なことだ。

三十歳の娘が仕事から戻ってきた。挨拶の後…台所にいるママの隣で跳び始める。

「ママ、すごくお腹がすいた、早くしてよ」

私はまた驚いた。理由があったんだ。じゃあ、一つ目は、何で自分でお母さんの料理を手伝っていないの？（後に分かったことは、三十歳になっても、彼女は全く料理ができなかったのだ）。二つ目は、客の前でお母さんにそんなことを言っても大丈夫？　三つ目は、三十歳にもなってあんなに子供っぽくしていいの、三歳児みたいに？

本当に台所で跳んでいたんだ。

お母さんは冷静に答えた。

「テーブルに箸を並べて」

本当に三歳児みたい。もっと責任のあることがなかったの？

その後、次男が仕事から帰ってきた。彼はもっと静穏で、礼儀がある人。旦那さんは他の市で働いていた。単身赴任。それも日本の社会では普通のことだ。その日はちょうど彼の誕生日だったが、家族とお祝いはしなかった。奥さんと子供たちは電話でお祝いの言葉を言った。私にも電話を代わった。

明雄が来日してから、また義母に会った。

彼は玄関で

「彼女と結婚する！」

「どうぞ。いったい誰が禁止するの？」

本当に禁じるどころか、逆に兄弟が証人になって、婚姻届に印鑑を押し、それを渋谷区役所に提出した。そこで婚姻届は受理され、まもなく私を須田家の戸籍謄本に記入されるが、外国人のため名字はカタカナになると言われた。普通は外国人の妻はそのことを気にしないが、私は泣きそうだった。

「名字はあなたと全く同じで書いてほしい」と私は夫に言って、係員にもお願いした。

係員は外国人のお願いに感動して、上司には調べてから連絡すると約束した。

夕方に電話が鳴った。戸籍謄本に私の名字が「須田町の須、田んぼの田」というふうに漢字で書かれることが厳かに伝えられた。万歳！！　こうして、二〇〇三年十一月七日、私は須田家の一員になった。はい、旧ソ連の祭日、革命の日と同じ日だ。しかし一日前の可能性もあった。

区役所に行く前、ウクライナ大使館で書類の手続きをしないといけないので、大使館に電話をして、領事をお願いした。電話から冷静な声が聞こえた。

「今、彼は不在です。午後、彼は出張中です」

「でもすぐ近くにいますので、寄ってもいいですか？」

十分後、私たちは着いた。ベルを鳴らした。背が高くて、スレンダーな男性がドアを開けた。

「こんにちは。せっかく来たので入って」私はすぐ彼の声が電話で話した人だということが分かった。

「どこから来ましたか？」

「東京から」

「遠くからだと思った。東京からだと分かれば、開けないのに」

彼こそが領事だったのだ。

「では、書類は？　手続きをします」

「フィアンセは明日婚姻届を出したいんです」

「そうしたら、明後日来てください」

私の目には暗黙の問いかけ。

「実は手続きには通常三日間かかりますが、フィアンセがお急ぎであれば、二日後に来てください」

こうして十一月七日に婚姻届を提出することになったのだ……

実は結婚相手と二人の証人の印鑑を押した婚姻届を提出することが日本の公的な結婚式だ。厳粛なし。時には婚姻届を出すのが一人の相手だけ（例えば、夫が忙しい、仕事）の場合もある。それも公的な結婚式だ。夫の妹の場合もそうなった。

厳粛な部分はある時もあれば、ない時もある。公的な部分は少し費用がかかる。厳粛な部分はかなりの財産が持って行かれる。

厳粛な部分に関して、社長は品格のある行為をしようとした。結婚式は会社からのプレゼント、バラの花びらで覆われているカーペットの道など。しかし私は偽物ではなくて、本格的な結婚式をしたかったのだ（その後、キエフ・ペチェールシク大修道院で挙げた）。感謝して、お断りした。

日常的な結婚生活が始まった。私はすぐ妊娠した。

「いつごろ妊娠しましたか？」産婦人科に聞いた。

医師はカレンダーを持って、日付を指した。

「大体この日です。合っていますか？　その時、夫と性交がありましたか？」

「はい。うちは毎日です」

『毎日』についての噂は義母の耳まで届いた。「いけないよ！　うちの息子と毎日何をしているの？」

最初は夫と私の社宅で暮らしていた。しかし、妊娠してから仕事をやめて、夫の実家に引っ越した。

「お嫁さんが外国人だとテニスクラブで言ったら、みんなはすぐかわいそうだと言ってたわ」義母は私に言った。ところで、外国人のお嫁さんの国や学位などはあまり関係がなかったそうだ。

ある日、義母は三階からの親戚を午後のお茶会に誘った。楽しく時間を過ごした。客が帰ってから、義母が聞いた。

「彼女の息子はどう?」

「いい人です」

「彼は精神障害者だ」

その時、彼女が何を言おうとしていたのか、私は理解できなかったし、私には結局、彼がいい人であるという印象がそのまま残った……

「あなたは絶対愛人を作る!　美人だから!!」義母は叫んだ。

私にはそんな考えでさえなかった。

「白人は臭い!」また義母は叫んだ。

「お母さん!　やめて!」

「白人の肌は大根みたい!!」

「お母さん、やめて!　彼女は僕の奥さん!!」

義理の母は我慢できない。

「うちの娘はバレエもやっているし、英語もできる。私はお見合いで凄くいい相手ばかり紹介しているのに、彼女は断るだけ!　おまけに、彼女には犬が三匹いて、彼女は庭付きの大きな一軒家に住まないといけない!

苦しむがいい!」

それはどんな話?　日本語を知らない方が良かったと思う瞬間がよくあった。

義母には毎日使っていた包丁があった。包丁はサビや他の汚れがある統一感を失った柄が付いていた。私は包丁について二ヶ月後、丁寧に聞いた。彼女は柄を絶縁テープで縛った。すぐに注意する。

「お米はこういうふうに洗う!」

「だって、お母さんもそうしない」

「しゃもじで丸める！」

台所だけでは説教は終わらなかった。

「行こう！　石鹸の置き方を教える」

普通の石鹸、普通の石鹸入れ、でも使い方は特別で、しっかり守らないといけなかった。

つまり、お互いの努力にも関わらず、義母との会話は噛み合なかった。

オペラシティー（ヨーロッパのオペラ座と同等の施設）から徒歩で十五分の距離に住んでいるのに、何十年経っても一度もそこに行ったことがない。彼女はお金の無駄だと思っていた。

あるいは、

「歴史を勉強している人が全く理解できない。何のためにその全ての数字を覚えるの？」

彼女にとって歴史は様々な歴史上の事件や、経過や、因果関係などではなく、数字でしか見えなかったそうだ。

あるいは、

「何のために本を買うの？　お金も無駄、場所も取るし！」

やがて、義母と料理について話した方がいいと私は総括した。『お母さんは料理がとても上手で、私もお母さんの息子を喜ばせるようにお母さんのスキルを少しだけでも借りられたら』という内容だ。たまに家族を訪問した義父と話す機会は全くなかった。彼は女性と話さない。話題があるの？！

家族と晩ご飯。バアアアン！！　お父さんは拳でテーブルに。クラアアアアック！　ビールのガラスを木っ端微塵に砕く。長男である私の夫と話している。義母は冷静に私に聞いた。

「何？　驚いたの？」

その家庭ではトイレの水を流す回数は少ない。高いからだ。

そういうふうに暮らしていた。自然な日本にやってきた。


そういう生活が続いても良かったけど、突然夫の両親が別荘に引っ越すことを決めて、老後、困らないように自分の家は賃貸することを三人の子供に知らせたのだ。

大人になった子供たちは眉をしかめ、アパートを借りて一人暮らしを始めなければならなくなった。私と夫は環境が少しよい郊外に引っ越した。

ある日、私の同級生は事情が疎い人に説明した。

「私の名字は日本語でパラマン・スカと発音するようになった。まあ、凄いニュアンス。両親は喜ばなかった」

それで私たちが引っ越した港町の名前、ヨコ・スカ（横須賀）、とほぼ同じだった。

海と素晴らしい環境以外に、横須賀は小泉元首相の生まれた町だったので、そういう意味でも生活には十分相応しいと思った。本当にその通りだった。

二週間後、私は長女を出産した。産院から私たちを引き取りに義母がやってきた。

「出産費用は自分で払ったの？　いいことね。うちの息子はお金がない。うちは貧乏」

「明雄は産院に来てくれないの？」

「彼はお仕事」

『子どもが誕生することと産院を退院することは日常的なことなのか？　若い父親は出産に立ち会わないの？』と私は考えた。この思いからとても悲しくなった。

「赤ちゃんが私のことをおばあちゃんと言ってくれたら、その時おばあちゃんの気持ちが出てくるかもね」赤ちゃんを見ながら、義母が言った。「何で赤ちゃんと変な言葉で話しているの？　ウクライナ語、ロシア語って何のためなの？　英語で話しなさい。将来の繁栄のためには英語しか役に立たないんだから！」

義母は一週間赤ちゃんのことを手伝うのを約束してくれたが、一週間は１日になってしまった。

「あなたは全て大丈夫。やりこなしている。でも私には家に夫と犬がいる」

義母の優先事項は私には分からなかったが、夫も犬も健康だった…ちょうどその時から、私はこの一億二千万人の島国で徐々にロビンソン・クルーソーになったような気がしていた……

「そうか、あの外人、夫にゴミを出させているわ！」

「せめて正しい日に正しいゴミを渡さないと！」

「それでもダメ！　妻は妻！　夫はお仕事！！」私の家のベランダの下で隣人が遠慮なく陰口を叩いていた。

私たちは一軒家のようなところに住んでいて、家と家の間の距離は狭く、手のひらほどだった。ドアのチャイムが鳴る。赤ちゃんを二階でそのまま寝かして、ドアを開けに走った。玄関に近所の人が立っていて、挨拶代わりにすぐに息を弾んで言った。

「そういうふうに洗濯物を干しちゃうとパンツが盗まれるよ。私も先月ごろつきにパンツを盗まれたのよ」

私は黙っていた。

「なんでTシャツの上に何も着てないの？」と近所の人が聞いた。

「赤ちゃんに母乳をあげていたから」

「赤ちゃんがいるの？！」

部屋に戻ると、私は恐怖にとらわれた。赤ちゃんに何か黒くて怖い生き物が近づいてきていたのだ。どうしたらいいのか分からなかった。すぐに子供を抱きしめて、金切り声を上げて、ドアを少し広く開けた。自分で出なさい、いらないお客さん！　出ていった。

それは日本のゴキブリだった。手か布切れで簡単にゴキブリを殺すことはできない。固すぎ。日本人はゴキブリに熱湯をかける。一応いろいろなゴキブリ用のトラップがあるが、外国人の女性はゴキブリを見るとヒステリックになる。何回ゴキブリを見ても、とにかくまず叫ぶのだ。ある女性はゴキブリを見た時…警察を呼んでしまった。子供と家に帰ると、ドアの前にゴキブリがいるのだ。全く動かない。彼女は「ヒィーーー！！」と叫んだ。ゴキブリは全く動かない。隣人には関係ない。初めて外国人がヒイヒイ叫んでいるのかしら。彼女は携帯から警察に電話して、震えた声で住所を教えた。

「来てください」と。

問題の本質を説明することができず、結局こう言った。

「外国人だから説明ができないけど、怖い」

高圧的な感じでヤマハ製のバイクが二台やってきた。

「さあ、どうされましたか？」

彼女は震えた指でゴキブリを指さした。

「あそこ。通れない」

ゴキブリがすっかりぼうっとしている。止まっている、しかもずっと。生きているが、全く動かない。

その時、いつもは冷静な日本の警察官が吹き出した。

「お姉さま、今回は助けてあげますが、今後はそのような理由で呼ばないでくださいね」

そういうゴキブリなのだ。

何度も他の隣人の夫が酔っ払って、大声で歌を歌いながら夜中に家に帰っている。夏。窓が開いている。また赤ちゃんの目が覚める。私はベランダに出て言った。

「うるさい！」

彼が家に飛び込んで、妻が飛び出してきた。

「私の主人は社長。ベランダから何を言ってるの？」

「歌を歌わないように」

「ベランダから何を言っているかを聞いているの？！　まず外に出て、近づいて、それから話す！　ベランダからはダメ！」

「お宅のご主人が歌を歌っている時、うちの赤ちゃんは寝てるの」

「夫は社長！　今、日本は景気が悪い！　歌わないとダメなの！」

よく頭に浮かんだことは、実際の日本人が外国人向けの本や教科書に書いてある日本人とどれほど違うのか、ということだ。まあ、はい、一般的に日本人は働き者で規律正しい国民。それは多分教科書に書いてある通り。それ以外の多くの点ではヨーロッパには日本人についてのステレオタイプが多い。


義母は都合のいい時、連絡もせずにうちへ遊びに来ていた。出産後二度目にやってきた時、厳しく言われた。

「どうぞ」私に古い布おむつを差し出した。「じゃないとうちの息子には大変！」

どういう意味だったのか。『どうぞ、この布おむつを使いなさい。うちの息子にとって紙おむつ代を支払うのも大変』

子どもの成長を見るために、時々市役所の職員が立ち寄っていた。ぼろ布おむつの山をじろりと見て驚いた。

義母から財産としてもらったと説明しなければならなかった。やりとりの中でこう聞かれた。

「東京渋谷区に住んでいると言っていたね？　NHKの近く？　そこはみんな一緒。家が高ければ高いほどケチ。いつもお金がないんだ！」

次やってきた時には、義母は自分の息子である私の夫にきっぱり言った。

「子どもの世話をするな！　家の事をやるな！　妻のお願いを聞くな！」

さらにつけ加えた。

「お父さんはそんなことを一切やらない、あなたもやめなさい！」

若いお父さんはすごく幸せそうだったのに。仕事から帰ってくる時はいつも一直線に飛んで帰ってきたのだ！娘を両手に抱き上げて、愛撫して、おしゃべりをして、目が輝いていた！　そこへ『子どもの世話をするな！』という義母の厳しい言葉が聞こえてきた。

「何？！　また花瓶に花があるの？！」次やってきた時には義母が憤慨してがみがみ言った。

その思いがけない発言は私のいる前ではお説教にはならなかったが、その時から夫からの花がなくなってしまった。

「何で家具がいるの？　あなたには必要ない」とまた義母が言った。

そういう訳で、全てのものがそのままダンボールに入っていた。ちょっとした家具と電化製品は自分の国に帰るカナダ人の仕事仲間からたまたまもらったものだった。

夫は不便な生活に全く気にもとめず、さらに快適な家を作るための自分の役割も感じていなかった。

私は子供の世話で忙しく、さらに新しい生活や、来たことのない土地や、新しい気候や、新しい人などに慣れることで頭が一杯だった。警戒心がなくなって、義母・ママは『自分の息子を完全に取り戻す』ために、適当なタイミングを探していた。それ以前は夫が大喜びだったのに。

「僕は幸せ！　僕にはもう全てある！　君は最高の奥さん！　君は私の神様！　君は私の宗教！」

「あら、何を言っているの。それを言っちゃダメ、ダメ。私と一緒にいて幸せなのは嬉しい。でもそのような言葉で表現しないで。あなたは洗礼を受けたばかりで、何がよくて何がいけないのかまだ分かっていない。とにかくそんなことを言わないでください。私は宗教でもないし、神様でもない」と私は独り言をつぶやいた。

後で分かったことだが、彼のお母さんは初めのうちは歯をくいしばって妻のことに息子が大喜びすることを我慢していたのだ……でも日本人女性のそのような腹黒さは蛇でさえ羨むだろう。蛇はすぐ咬むが、彼女達は徐々にちょっとずつ毒を入れ、その結果、死はすぐには来ない…そして人の不幸を喜ぶ。

ある時まで長男は妻を支えながらもちこたえたが、母と社会のそのような圧力に長い間抵抗することはおそらく彼にはできなかったのだ。

窓の下で隣人がゴミについてのおしゃべりばかりしていた。生まれたばかりの赤ちゃんには誰も興味がなく、誰も口先だけのおめでとうでさえ言わなかった。ただ外から聞こえてくるだけだ。

「ゴミ当番のことだけど、中野さんは九月、うちは十月、次の家は当番無し、そこは山田さんが一人暮らし、奥さんがいないので」

市のスピーカーから放送が聞こえてくる。

「こちらは横須賀市です。二時間後に市内で豪雨が予報されています。ご注意ください！」

通りすがりの車のスピーカーから聞こえてくる。

「古くなった電化製品、冷蔵庫、テレビ、ファックス…無料でお引き取りします」

近所の誰かが不用になった家具を出している。後で分かったことだが、夫と妻が出てきた。夫が見積もりを立てている間（古い家具を普通に捨てる時も支払わないと）、妻は静かに、愚痴一つこぼさずに、自分で（！）トラックにテーブル、古いタンス、ソファーをうまいこと積み込んでいる。どうやって？　まあ…何とか……

近所の友達が私と人生について語り合っている。

「あなたの国には、夫への服従、政府への服従、苦しみの必要性、家族への献身のようなものはないでしょうね。旧ソ連では全く違ったものだったでしょう。違う道、違う理想」

「旧ソ連ではそうだったかもしれないけど、うちの宗教には全てあるよ。正教には」

彼女は何か考え込んで、黙ってしまった。

「祈っていますか？」と彼女に尋ねた。

「祈っている。神様に」

「私も」

「娘がキリスト教に入信したんだ。彼女の夫はアメリカ人。アメリカに住んでいるわ」

新聞や、雑誌に、そのようなことは書いていないが、日本人は概ねキリスト教も含めた宗教に興味があるということに気がついた。しかし一般的には日本人は信心深い国民と言えない。日本人は神様がいなくても平気だというふりをする方がよいようだ。

公式データによると、圧倒的多数の日本人は正式に同時に神道と仏教という二つの宗派に分類される。簡単に言えば、伝統的な結婚式は神道の習慣で、葬式は仏教の習慣に従って行われる。ところで、日本の葬式で最も通俗的な食べ物は寿司だ。

しかしあるミーハーママ達は率直に「向こうには宗教がある、羨ましい」と言っていた。

ある若いお母さんはカトリック教会のカテキズムコースに通っていて（日本には正教会があまりにも少ない）、真剣にキリスト教に入信しようと考えていた。

誰かがこう言っていた。「キリスト教にとても興味があります。キリスト教はいい宗教ですが、宣教師の説明がとても分かりにくいです。これを理解することは難しい」

日本の正教の中心地は東京にあるニコライ堂だ。そこには様々な国の正教徒が集まっている。

私には特にエチオピアの正教の信者を眺めるのが面白かった。特に復活大祭の時、綺麗な真っ白な伝統的な衣服を着てやってきて、教会の玄関でいつも靴を脱いでいるのだ。

復活大祭の時、福音書は日本語、英語、ロシア語、ギリシャ語の四つの言語で読まれている。その日ニコライ堂は満員だ。ニコライ堂では私の長女、それから次女が洗礼を受けた。

「エバ！　ウクライナ大使館から仕事のオファーがある！　あなたのことに非常に興味をもっている、書類を持ってきてよ！」とウクライナ人の友達から電話があった。

もちろん、それはとても嬉しい知らせだった。ちょうど大使館で仕事をしたかったからだ。でも赤ちゃんはたった数ヶ月。

大使館からのオファーについて夫に言った。彼はテーブルを拳骨で殴って、ドアをロックしてしまった！面接にさえ行けなかった。

子供自身の愛情。これ以上のものは何もないでしょう。君への完全なる献身、誠実さ、優しさ、慈愛、歓喜、いつもそばにいてママと同じことをしたいという願望、それはママの足跡をたどり、ママの足跡と全く同じ。ママは世界全体であり、もっと広いかもしれない。私は子供が天使であるとは思わなかった。澄んだ、晴ればれとした、献身的な眼差し…娘が眠っている時は、私は目を離さずじっと見つめていたかった……

学生の頃、どんなママになるかを考えていた時、まあ、自分の子供を愛するけど、距離を守りながらでなければならないと思っていた。子供の世話に対する私の一番大きな役割はよいベビーシッター・家庭教師を探すことだ。自分はキャリアを積む。家庭教師代を支払うために。でも、先ずは自分の子供の目には偉くて名声のあるママのように見えるために。

ところで、皇后陛下で、現在の日本の天皇である明仁天皇の配偶者は皇族の習慣を変えて、自分で（ベビーシッターなしで）子供を育てている。素晴らしい！

夫もいつも言っていた。「君は母親としてのポテンシャルがすごい！　君は母親としてのポテンシャルがすごい！」

娘とは分離できない関係だった。同じ布団で寝ていたし。ママはいつもいつも一緒。とてもいい、心は平静だ……

でも私の洋服でさえもっぱら仕事用だった。あらゆる場面のために。スーツ、事務所以外のミーティングや舞台用の衣装、ブランドのアクセサリー、例えば、指輪、ブローチ、メガネ、バッグ。財布でさえローマにあるグッチのブティックで買った。でも地味な方。エメラルドグリーン色の皮、それで小さな字で「Gucci. Made in Italy」と書いてある。このような謙虚さは、派手な字の代わりに、私には特別な魅力を与えるものだと思った。見た目もいつもグッチ以下のブランドを使わない女性だと思われるような格好をするつもりだった。

私たちの家庭生活は相変わらず斜め上の状態だった。

『安いものを買うほど、金持ちではない』学生の頃から覚えた知恵だ。でも夫は商品を選ぶとき、もっぱら一番安い金額を選択していた。それで数ヶ月後商品が壊れてから、また新しいもの、また一番安いものを買い直した。その商品もまたすぐ壊れて、また買い直し、そのことの繰り返しだった。でも全然夫のやり方だけではないようだ。知り合いの若いお母さんが私のところに姿を見せた。彼女の娘さんは私の娘と同じ年齢だった。ある日、彼女は豪華なレクサスで私を迎えに来て提案した。

「私の好きなお店に行こう！」

そのお店とは大きな中古屋だった…

ところでお付き合いする時、『どこで勉強した？』、『どこで働いた？』のような質問は日本の女性はあまり聞こうとはしない。一般には中古屋や 100 均に関するおしゃべりだ。

夫はしばしばいろいろなことについて愚痴を言った。日本と周りの日本人にもイライラしていたのだ。「日本には音楽がない。どうやってここで暮らすんだ！」

しかしこれらの宣言は口だけで、どうも彼の行動には伴わなかった。才能があり最高の音楽家であるのに、何も実行しようとはしなかったのだ。

私はその時ちょうど日本の伝統的な音楽の美学と機能的特徴に関する博士論文用の記事を書いていた。日本の音楽の歴史を深く研究した。日本には音楽がないという明雄の意見には賛成できなかった。

既に論文の序章のいくつかが終わった。以下は日本の時間的な概念の記述だ。『日本の音楽の全ての形式は永遠に変化状態にある。音楽の拍子はかなり柔軟で、いつも不安定である。そしてそのような変化によってしばしば一つの音楽作品に様々な時間的な重なりが作られている。日本人は時間を同時に存在する一つ一つの瞬間から成る循環するプロセスとしてみなし、現実を一過性の不安定な現象としてみなす。時間の概念そのものは呼吸のリズム、すなわち正確に測ることができないリズムに基づいている。

ヨーロッパ人にとって上記の公式は、おそらく日本の音楽における拍子やテンポの視点と、復唱を普遍的な作曲や美学の原則にまで高めている原因を理解する唯一の方法である。またその公式は同一のメロディーとリズムの構造の組み合わせが重要である型を使った日本の作曲家の作品の本質に関する問題に答えている。

復唱の原則は一般に東洋の音楽的な伝統には非常に重要であり、ここでは決して作品構造の発達が不十分であるという意味にはならない。それどころか、動きのない形式の段階的な強化、絶え間ない繰り返しは、結局のところあるクライマックスに達するまでの音楽的な表現のダイナミックさを表しているのである。例えば、一二五四年の文章には雅楽の作品における復唱の重要性が記述されている。「五常楽においては、急(最後の動き)が何回も演奏されると、草やお花までも踊り出す」』

それは言うまでもなくヨーロッパの伝統とは驚くほど異なっている。そのような復唱は音楽的な表現法の貧しさを示すものとして理解されていただろう。

私の博士論文には明治時代における西洋音楽が日本音楽に及ぼす影響の問題が取り上げられていた。まだ完全には揃っていない資料を一つの文章にまとめ、総括や一定の結論を導き出さなければならない段階だった。

『……日出づる国が開国する直前、日本は既に停滞の状況にあった。日本の考えで自分の材料のみを使って動くことができなくなっていたのである。西欧諸国も日本の鎖国に不満を示し、様々な関心があって、日本の扉を叩くようになった。いずれにしても、堰は切れてしまったのだ。西欧知識の強力な流れが急速に日本に入り込み、まだ冷静さを取り戻すことができない日本を支配した。まさにその流れによって、我々が今日知っている高度に発達した経済、技術、文化、独特で独自の芸術を有する強国、日本が生まれたのである。

十六～十七世紀における日本人とヨーロッパ人の接触は、日本が西欧文化を隅から隅までむさぼるように取り入れるようになった二百年後の西欧の成果の借用と再検討のきっかけとなった。

鎖国時代は十九世紀の半ばから日本が巻き込まれてしまった強力な変転の前にある意味で沈滞状態だった。その頃までに日本の人為的な孤立は終わりに近づいていた。一方で十九世紀の前半までは、経済面、技術面、科学技術面の立ち遅れ、生活の低水準、不安定な封建制、政治効率の低下、地方の分離主義の増加などの国の全面的な危機が大規模に広がっていった。それは武士の独裁体制が完全に終わったことを明らかに証明していた。内部から試みた古い社会体制の改革が完全に失敗したこともう一つの証明である。

他方で、外国貿易の拡大に利害関係のあるヨーロッパとアメリカの強力な工業の発展は、常に新しい有利な市場を必要としており、日本にも関心がもたれていた。こうして様々な国の船が大量に（アメリカとロシアも含めて）日本にやってきたが、彼らの訪問は失敗に終わった。結局、一八五三年にアメリカ人が自軍の力で日本の扉を開けることになったのである。一八五四年三月には日本政府は強制的にアメリカと不平等な日米平和友好条約が結ばれた。その後はオランダ、フランス、イギリス、ロシア、ポルトガルといった他国とも同じような不平等条約を結んだ。従って、日本は平等の相手としてではなく、不平等な協定を結んだ従属国として鎖国を脱したのである。

十九世紀中頃の特徴は先進国と従属国（搾取される国家）という階層をもつ世界の資本主義制度の形成であった。アジアの国は西洋の力に抵抗することができなかったため、植民地か半植民地になってしまった。が、日本は社会改革と経済改革のおかげでそのような運命から逃れることができ、強い先進国に転化できたのである……』

歴史的な前提に関する論文の一つの章の冒頭としては悪くないようだ。でも教授はこれを読んで何と言うのか？ 多分、「悪くない、悪くない」と言うかも。それから、「記事には悪くないけど、論文の文章には合わない。論文は違うジャンルだ！」こうつけ加えるだろう。

はい、そうだ。論文は違うジャンルだ。そのジャンルの枠内で書くべきだ。文章をもっと形式的にして感情を少なくする、専門用語、事実をもっと多くし、過程を再考する。そういう風に書き直おす。

ある日、夫が早めに仕事から帰ってきた。

「これは何？」と声を荒げて私に聞いた。

「資料、本」

「何のため？」

「博士論文を書き上げるため」

「家族にはどんなプラス？」と怒鳴り散らして、テーブルから全ての資料を床に落とした。

その後、電話でお母さんに愚痴っていた。

「僕が仕事から帰ってきて、彼女は論文を書いている！ それから僕が何か話をしている時、彼女は座っていないし、聞いてもいない！ 料理を作ったり、掃除したり、お皿を洗ったり、でもちゃんと聞いていると言っている！」

今度、義母が私に説教した。

「自分のあとに夫にお皿までも片づけさせてはいけない！」

「はい、分かりました。せめて台所の棚の扉を直してくれたら、嬉しいけど」

「それは妻がやるべき！」

「でも家事には夫の役割も、妻の役割もある」

「いや、全て妻がやるべきだ！」と義母がきっぱり言った。

何度も読んだことがあるが、日本の女性が義母になる時、前の奥ゆかしいスミレの花のような人生を忘れて、あまりにも厳しく指導を始める。しかし以前それは本の中の話だけだと思っていた。

こうしてやはり娘の世話が中心である私の日常生活が進んでいた。寝る前、しばしばウクライナの民謡『灰色の猫』という子守唄を歌った。

「何を歌っているの？　何このメロディー？　子守唄は長調で歌わないと！」また理由もなく夫がかんかんになって怒った。

仕事、仕事、仕事ばかりの日常で、おそらく彼はひどく疲れていたのだ。日本の会社の新入社員なので、給料は最低賃金。彼のアメリカでの経験は役に立たなかった。一流ホテルで演奏するようにオファーがあった時はもっとイライラしていた。

「あのお客さんは女の子を連れたお金持ちの年寄りだけだ。音楽なんて全くいらない！　日本の聴衆は大嫌い！　だいたい自分は日本で演奏する訳ないんだ！」

夫は日本に対して何らかの確固とした嫌悪があった。同僚の腐敗した保守主義を尊敬しなかった。しかし職場以外、誰ともどこでも話をしなかった。古い友達とも会わなかったし、新しい友達も作らなかった。

夫の容姿は非常にヨーロッパ人に似ていた。大きな目、あり得ないほど長いまつ毛、ヨーロッパ風の横顔、かなり背が高く、がっしりした体格、長い髪の毛、下げ髪で、剃ったこめかみと首筋。日本に引っ越しても、私と英語で会話していた。しかし英語で話しかけようとする日本人に彼はイライラしていた。日本人の発音に対して彼が完璧なアメリカ英語の発音で答えると、日本人はまさに何も理解できないので、すぐに固まってしまっていた。彼の発音とイントネーションには本当に羨んだ。音楽的な聴覚と言語の習得への粘り強さが成果を齎したのだ。

ある駅員は私が夫に何か説明するように、私に日本語で声をかけて、「日本語が話せるでしょう」というおかしな出来事もあった。

夫はフリーランスとして翻訳のアルバイトも始めた。インターネットで依頼を受けて、インターネットで終わった仕事を送った。このようなダブルクリックは半年ほど続いたが、突然、

「クビになった！」

「どうしたの？」

「社長と喧嘩した。まあ、そこで働きたい訳じゃないし」

私の解釈では、夫が一生懸命に、より相応しい職場を探し始めていて、私も今すぐにでも仕事に戻らないといけないということだった。しかし夫の考えは違った。

「父は僕に大企業で働いて欲しいわけ。立派な名刺をもって、髪をショートカットにして、ビジネスメガネをかけて。日本の蒸し暑い夏の時でさえ、ワイシャツとネクタイとスーツを着て新宿をうろうろして。全部どうでもいい！　大企業なんかクソくらえだ！　僕はそうしたくない！　僕はこの世界のものではない！　普通の生活をしたい！　自分の妻と子供に会いたい！　架空の父親じゃなくて、実在している父親になりたい。父は僕とほ

とんど会ってない！　どこに相互理解があるんだ？　卒業後はみんな東大に進学するような一流の高校に行かせたんだよ！　それからフェリス大の年頃の女の子とばかり紹介させられたんだ。どうだっていい！　あんな一流高校には通っていなかった！　朝、同級生が地下鉄のホームにいて、僕は反対側にいる。『どこに行くの？』と聞かれた。神奈川の楽器店に行って、一日中ギターを弾くんだ！　法学部を卒業させられた。それのせいでどれだけの時間が無駄になったか！　この分はいつ取り返せるの？　今は結婚して、全く無一文だ。どうやって家族の面倒をみる？　お金をちょうだい、失った時間を埋め合わすためにって言っても彼には聞く耳がない！」

まもなく、夫はうちの家族に借金があることを伝えた。全く質素な生活にも関わらず。その時点では夫が家計を管理していて、私は夫からお小遣いでさえもらえなかった。それどころか自分の貯金でさえ使わなければならない時もあった。でもその期間は一時的なものだと思っていた。私自身もその時期は稼ぐことができなかったからだ。

そこへ、借金があったにも関わらず、夫が日本の会社ではもう働かないということを決めてしまった。自宅にいて、パソコンで翻訳する方が楽だったみたい。でもこのような仕事は貯金があって、顧客もいて、他人に対する財政的責任がない場合だけうまく行く。夫は次のようにして事態の打開策を見つけた。「今月二十万円を出しなさい、その後、様子を見よう」

これに対して私は、夫が一生懸命新しい仕事を探さなければならないし、私もそろそろ仕事に戻らないといけないと答えた。特に私の復職については、既に社長との話し合いが行なわれていて許可が出ており、いつでも前の職場であるホテルで働ける状態だったのに、なおさらのことだった。

夫は、例えば食費として少なめの金額を私に請求した。何回かあげたが、これは長くは続けなかった。

「食費を出したくないの？！」と大声で叫びたてて、力まかせに足で壁を蹴った。壁に穴が開いた。細かな破片が、床に敷いた布団に寝ていた赤ちゃんにぱらぱらと当たりだした。私は赤ちゃんを抱きあげた。夫が自分の体でドアを塞いだ。夫から伝わってくるエネルギーが不吉だった。

「お金を出したくないの？！」

これはあり得ない状態！　働かないで、自分で家をくまなく掃除して、子供の世話も自分でして、三人の子供を産んで、それでいて様々な夫の欲求を忘れないようにして、しまいには…　お金も出しなさいと。おまけに夫の暴力的な行為にも耐えろと？！　子供のパスポートの手続きをしたら、すぐキエフに行くと決めた。

夫はいつも仕事に関する自分の行為を正当化しようとした。

「大企業？　それで生活が安定するの？　だって、今はそんな大企業もシャボン玉のように割れる！　あんな安定なんて何の価値があるの？　朝から晩までオフィスに籠って、電車で立ったまま二、三時間寝る。現実には会社の繁盛のために自分の全人生を投げ捨てる。それは全て見せかけの経済的な安定のため？　会社のおかげで家のローンを組んで？　三十五年間払って、その後、家族のためでもなく、会社のためでもない、銀行のために頑張ったことが分かって？　それから年金生活が始まって、振り返ると、子供たちが成人して見慣れない人になって、高齢の妻は空閨を守っている妻として一生暮らしている。こんな国、大嫌い！」

私はやはり仕事を始めることにした。まずはパートで。その時は夫が娘の世話をした。社長には二ヶ月後にフルタイムで働くことができると約束した。

ホテルに帰るのがとても嬉しかった。以前一緒に働いていた仕事の仲間の笑顔を見るのが良かった。エレガントでクラシックなインテリア、大きなロビー、いつも落ち着いた雰囲気、ゆっくりできれいな音楽。私はむしろ職場で休んでいたのだ。

この素敵な一流ホテルの社長のスーツに付いていた地味なネームプレートにはホテル名しか書いていなかった。彼は偉そうな格好をしなかった。ホテルのお客様が普通のスタッフと思って、彼に話しかけることがあった。一人は空のペットボトルを持ってきて、捨てる場所を聞いた。『スタッフ』は自分でペットボトルを取って、自分で捨てた。私にも任されていなかった。もしピカピカな床でゴミを見かけたら、自分で拾って捨てる。もちろん、このような行動はホテルのスタッフにとってはとても勉強になっていた。

ある日、社長は私に注意した。

「政治と宗教以外なら、お客様とどんな話題についてでも話してもいいですよ」

確かに、これは実にもっていざこざを起こす話題だ。

「あなたには先天的なホスピタリティーの理解があるので、あまり教えることがないよ」と、その次に彼が褒めてくれた。

でも仕事から家に戻ると、夫がまたおかしく、怒りっぽかった。

「あなたには妻ではなくて、訓練された犬が必要だ！」と、ある日私は言った。

突然、夫が力まかせに手の平で私のほっぺたを叩いた。私は驚いた。人生で一度も男性に殴られたことがなかったのに！

夫はすぐに謝った。

「ごめん、ごめん、もう僕と暮らしたくないでしょう、ごめん！」

ほっぺたに氷をつけた。

許さざるを得なかった。多分、許さないほうが良かった。

その後、事態がもっとひどくなった時、警察署で「夫は暴力を始めたら、もう終わらない」と言われた。

近所の人が私たちの喧嘩にますます気づくようになった。

「夫と喧嘩しないで、夫と喧嘩しちゃダメよ」と教えられた。

しかし夫は暴行をやめなかった。お皿は割れ、コップは廊下から玄関のドアに投げつけ、暑いコーヒーが入ったコップは台所の壁に投げつけた……

子供は二階で寝ていた。私は外へ飛び出したが、夫は私を追いかけてきた。全力で走って、近くのコンビニ勢いで入った。そこには防犯カメラがあるので、殴ることはできないと思った。トイレに駆け込んで、鍵をかけて、携帯電話から一一〇番に電話した。

警察官がやってきた。まず私と話して、それから家に入った。

夫は驚いたが、やはり法学部を卒業したことがあって、すぐに冷静になって、警察官と台所に閉じこもった。話が終わってから、警察官がニコニコしながら出てきた。

「素敵な夫だ。正しく物を考えている。全て大丈夫だ」

そして帰った。

夫がまた私のほうに飛んできた。

「ああ！　もう警察を呼んだの？　それで？　助けてもらったの？」

悪意で何度も跳び上がった。これまでそのような状態の人を見たことがなかったが、それは私の夫だった。

「カナダに引っ越そう！　そこは本当に落ち着く！　カナダはDVですぐ刑務所だ！」

「あなたは暴力をやめるためだけにカナダに引っ越すの？　そこにいると落ち着くから？　最初は素晴らしい関係だったのに！　ロサンゼルスの射撃の話をした時、あなたのことをすごく心配した！　なるべく早くあなたとの子供を産みたかった。もしものことを考えて、あなたは私たちの子供の中に残ってほしかった。今は？　私たちの関係はどうなった？　それでどこに連れて行くの？」

「もっと、もっと話して！」

数日後また前のことの繰り返し。

「今月は二十万円出しなさい！　出さないの？　それとも銀行に借金をしてほしいの？！」

そしてまた足でドアや壁を蹴る。

「じゃあ、銀行にお金を借りに行く！　家族は破産する！」

私は離婚の準備を始めようと思いながら、必要な洋服などを揃え、子供を連れて、友達の家に行った。まもなく日本の親戚が話しに来るようにお願いした。

子供と夫の実家にやってきたのは一日の予定だったが、一ヶ月に延びた。でも夫はこの間に一度も自分の両親のところに来たことはなかった。家庭問題についての話し合いは、夫のいないところで行われた。夫は来ると約束したが、結局姿を見せることはなかった。

東京では見ることができなかったが、夫の両親の日常生活を観察するチャンスができた。というのも、その時、義父は一時的にしか家にいなかった。

朝食はきまって手作りパンだった。いわゆる、手作り。はい、いわゆる。義母はいつもこう強調していた。『自分で焼いた！　自分で植えた！　自分で洗濯した！』等々。

「自分で花を植えた！」

植えた！　植木鉢の花を買ってきて、そのまま庭の土に入れて、それを『自分で植えた』と言う。

「自分でパンを焼いた！」

ペチカはもちろんのこと、オーブンでさえなく、そこのパンは本当にユニークだ。材料をホームベーカリーに入れて、タイマー付きのボタンを押すと、ホームベーカリーは設定した時間でパンを作る。後は取り出して切るだけだ。

それはさておき、義母は自分の夫のせいでもうずっと前から疲れていたが、夫は朝食にその様なパンをひと切れでさえ自分で取ることができなかった。お膳立てしなければならなかったのだ。夫と妻の間に会話はなかった。私はこのような生活を見ても驚きはしなかった。私の家族ではないし、夫の両親のところではこういうふうに生活していて、つまり、彼らはそれに満足しているのであって、もし満足していなかったとしたら、六十歳までそのような生活をするのかな？

朝食は全く静かな状態で食べた。私と会話を始めたのは昼食か夕食を一緒に食べた時の終わりごろだった。その後、夜までか次の日のお昼まで長い間沈黙があった。明けても暮れてもそれの繰り返しだ。そのような沈黙の間日本の親戚は新聞を読んだり、庭の草を刈ったり、夕方は長時間テレビ番組を見たりしていた。その時見ていた番組は「奥さまは外国人」だった。番組の終わりには外国人の奥さんは日本について一つの質問をしていた。

ある日、義父は私にも聞いた。

「あなたなら、どんな質問するの？　でも、一つだけ！」

「何で日本人は妊婦に席を譲ってくれないの？」

「他は？」

「一つだけ」

義母はいつも愚痴を言いながら、よく古い衣服、布団、ブランケットを捨てていた。

「これも、あれも、払わないと！　ゴミでさえ無料で捨てられない！」

「私の母はこれを乞食に渡している」

「そんな知り合いなんていない！」

長い中断の後、主要な話を続けた。何で私たちはいつも無駄なことをしているの？　ふと、ある日本の会社で聞いた文言を思い出した。『無駄なことをしない、強調したい箇所にアンダーラインを引く』そういうふうに私たちも、アクセントをつけて強調したり、アンダーラインを引いたりして、話した。

義母は、

「いや、とんでもない！　離婚なんてしたら、人間のおしまい！」

義父は、

「何で離婚するの？　女関係の問題もないし、ギャンブルもしない。今は彼のことを何パーセント好き？」

あり得ない質問です…愛はパーセントで表すの？

夫の両親は夫の大喧嘩を経済的な問題でしか説明しようとしなかった。息子はお金がないから、怒りっぽいんだって。でも、日本の会社では働くことができないことには同意した。息子は早起きにも慣れていないし。

「明雄とはとても話しにくい。私たちも彼と話す前にはよく考えている。結婚する前、お金の話をした？　どうやって生活するのかとか」と義母が聞いた。

「いいえ。私たちの国ではそれは遠慮する話題です」

「でも、それは話すべきことだ。結婚生活がうまくいくのにお金はとても大事」

「二人とも学生だった。二人ともいい教育を受けた。二人とも仕事も稼ぐこともできる。稼ぐどころか、キャリアを成功させて、喜んでよく稼ぐ」

「でも、あなたは日本にいる。結婚もしている。結婚している女性は働かないで、夫と子供の世話と家事をしないといけない。夫の役割は稼ぐこと。あなたは妻として、夫の仕事が成功するように、支えないといけない」

「だって夫は働きたくないんだもん」

「彼には今複雑な事情がある。自分のビジネスを始めたいと思っている。あなたは妻として応援しないといけない。全てのことを手伝い、何も心配させない。あなたは彼の稼ぎだけじゃなくて、彼の健康に対しても責任を負っている。だから自分の仕事を辞めて、ちゃんとした専業主婦として家にいなさい」

義父が話に入ってきた。

「僕は家庭的な女性が好き」

「家庭的な奥さんがいるでしょう。私の夫は違う人を選んだ。私は家庭的ではない。でも、お父さんは家庭的な女性が好みで、それは自分に自信があまりないからだと思う。奥さんが社会人であれば、自分自身ももっと成長しないといけません」

「あなたはそう言える立場じゃない！」と義父が急に吠えだした。

「明雄には私と子供をほっといてほしい。距離でコミュニケーションする。結婚する前、自分の人生に満足だった。結婚後も満足したい」と私はきっぱり言った。

「お母さんとしてお願いします。夫の元に帰って、仕事も辞めてください」と義母が頼んだ。「娘が二歳になったら、私が子供の面倒を見る。そうしたら、あなたは働ける」

娘は相変わらずいつも私といた。いつも献身的で、愛しい目……

時々、義母と義父のウエディング・カードのことを思い出していた。書いていたのは『二人のスタートを一生忘れないでください』という一つの表現だけだった。その時、その考えだけが支えになって、堪えることができた。

子供と一緒に夫の元に帰ることに同意した。ホテルの社長に一時的に抜けることができるようにお願いした。

「あなたがいなくなると、このホテルはまた田舎のようなものになります」と社長が独特の言いまわしをして、待つことを約束した。

でも一時的なことは驚くほど長く続く。

が、日本の親戚はキエフに行かせることができたのはよかった。

日本の現実とウクライナの現実にはかなりの違いがあったので、ウクライナで日本の現実について話す時は、自分の親戚とでさえ、なかなかスムーズにはできなかった。例えば、私の海外の生活についてお母さんに愚痴をこぼし始めた。

「それは筋の通らない論理！　私が言っているのは、もしお母さんだけがそんなに大切なのであれば、女性は自分で子供を産むだけじゃなくて、自分で子供も作るんだって。義母は私が話しすぎだと言っている」

「あなたは話しすぎ！」

「ママ！　一回くらい自分の娘を応援すれば？　義母は自分の娘をまだまだ頭をなでるだけ！」

「何であなたをなでるの？！　よいことは当たり前なこと！　義母を愛しなさい！」と私の完璧なクリスチャンのお母さんが説教した。

「ママ、私には誰も手伝ってくれない」

「聖母マリアが手伝うの」

「ママ、肉体的な手伝いが必要なの」

「多分、近所の人とか、知り合いとかが手伝ってくれるんじゃないの」

「ママ、そこはみんな忙しいの。誰も手伝ってくれない」

「そうしたら、値しないということ！」

音楽大学にやってきた。まだ博士論文を書いていたからだ。ロビーである教授に会った。

「今は何をしているの？」

「子供を育てています」

「何何？」

「論文を書いています」

「お！　それはすごい、すごい！」

論文の仕事に元気づけられたが、日本に戻ったら全ての知的な努力が落ちて来ることを思うと恐ろしかった。

また家事、家事、家事ばっかり。

教会で痛快の時に言った。

「もし夫がちゃんと経済面で支えたら、働かなくてもいいけど」

「あなたのことを神様が支えている」

また分かりにくい。

毎朝、娘が起きた瞬間、ベッドに座って、悲しく頭を下げて、言っていた、

「パパ」

朝はママも、パパもそばにいるということに慣れた。思わず考え込む……


ウクライナでは雪が積もって、本格的な冬だったが、日本に戻ったら、ほぼ夏。娘はブーツの代わりに軽い靴を履いて、こんなに軽くて歩くのができることにニコニコしながら驚いて、何回も軽い靴を見て、スキップしながら小道を走った。

「は！　は、は、は！」

私はすぐに家事に入った。夫は相変わらず忙しいふりをした。そういう口実で私とは全く話をしなかった。典型的な日本の家庭だ。

私はいつも娘といた。大人のコミュニケーションは本と自分の思い出の中で探した。ウクライナからたくさんの本を持ってきた。

ある日、井深大の本『幼稚園では遅すぎる』を読み直した。義母は指摘した。

「あ、読んでいる！　どう子育てるか！　その本は誰が書いているの？　男ばっかり！　子育ての何が分かる

の？！」

その時から私は言い争いを避けようとした。意見のぶつけ合いをして何になる？　義母のことも含めて、プラス思考で行こうとした。例えば、私をすごく驚かせたのは、義母がよくみんなのこと、赤ちゃんのおしゃべりも、男性のことも理解していた。だから彼女は本が不要だった。

でも『みんな』という理解には、お嫁さんは入っていなかった。お嫁さんはいわゆる生きていないもので、より利用しやすいように、いろいろなボタンや、パーツを入れるべきもの、それだけだ。

ルース・ベネディクトの日本についての本を読んでいる。『年齢のいかんを問わず、ある人の階層制度の中における位置は、その人が男か女かによって変わってくる。……　日本の家庭では女の子は、贈物も人びととの顧慮も、教育費も全て男の子の方にいってしまうのを、おとなしく傍観していなければならない。若い婦人のための高等制度の学校が設立された時でさえ、そこで課せられる科目は、礼式や行儀作法の教授が重きをなしていた。本格的な知的教育の方はとうてい男子の足もとにも及ばなかった。現にこのような学校の一つの校長が、彼の学校の、上層中流階級出の生徒たちに、ある程度、ヨーロッパ語の知識を授けた方がよいと主張したが、彼の勧告の根拠はなんと、生徒たちが結婚してから、夫の蔵書を、塵を払った後で、上下反対にならないように正しく本箱の中にたてられるようになることが望ましいというのであった』

そこで本を閉じる。私には女の子が生まれた。ここでどうする？　現在の日本は本に書かれている日本とそんなに変わらない……


夫は二回ほど仕事の面接に行った。どこにも採用されなかったので、もうこれで終わりにして、また在宅勤務、パソコンで翻訳することを決めた。私は夫に言った。

「成功した人と仕事をした方がいい。それは全く違うレベルのコミュニケーションだし、自分の人生にもプラスになる」

でも夫はそれに興味がなかった。

徐々に私も毎日のルーティンに没頭し始めていて、周りのことにあまり気付かなくなった。いろいろな家庭的な実験をやっていた。夫にも義母にも喜ばせるようにした。夫に毎日出来たての食事を三回、朝食、昼食、夕食を作っていた。一日中、何回もコーヒー豆を挽いて、出来たてのコーヒーを作っていた。夫のだらしない生活には目をつぶって、黙って全てを片付けていた。全く何も言わず、夫の話を最後まで聞いていた。ある話は私たちの引きこもった生活には傑出した例になった。

夫が話を始めた。もっと興奮して、話している。私は聞きながら、黙っている。たまには相づちを打っている。このような一時間の独り言の後、目が輝いている夫が部屋から出ようとした時、結論を出した。

「今日はとても面白い話だった！」

夫の輝いた目を見たのは良かったけど、自分のことには良かったとは言えない。やはり話はお互いに面白いほうがいいでしょう。私の意見には夫は興味がなかった。私の気持ちももちろん。場面によって、私は、家具か、アクセサリーか、単に黙っている家政婦とかでしかなかった。

私の無理矢理な主婦のステータスにも関わらず、夫は私にお金を渡さなかった。それで私のことをコントロールできると思ったからだ。お金もあまりなかったし。どうやって専業主婦として生活をするの？　日本では私の親戚は何もバックアップできないし。

日本の専業主婦にはそのような固い事情はない。専業主婦というのは、妻が家計を完全に管理し、夫が稼いだお金を取り仕切っている。お小遣いも、夫の稼ぎから妻が夫に渡すのであって、逆ではない。でも、家計の場合には夫は日本的なやり方が好きではなかった。

日本人についてルース・ベネディクトが書いていたことは、民族的な考え方として、間違えがないように、自分の活動の結果を過小評価されないように自己犠牲を行なってまで、日本人はいつも注意しないといけない、ということだ。かなりの緊張状態が遅かれ早かれ攻撃的な行動のなかで爆発することはいうまでもない。そのようなことがうちの家庭のレベルで起こった。

夫と同じ屋根の下にいるのがもっと難しくなった。家では落ち着く状態がなく、圧だけだった。

結婚したばかりの夫の妹が意見を言った。

「結婚してからすぐ、うちの夫がすごく変わった。『飯！』、『テレビつけて！』、『テレビ消して！』としか言わない。夫が仕事に行っている間、一回一万円を払って家庭コンサルティングに通っているんだけど、役に立つよ。あなたもやってみて」

「一回一万円、どこから出すの？　夫には一円のことでも報告しないといけない。しかも、私のことは全てコントロールされている。女性の友達とでさえ会うことができない。みんなが私に悪い影響を与えるんだって。電話でさえしちゃダメって、お金が無駄なんだって」

「はい、それがお兄ちゃんなんだ。小さい時から、お兄ちゃんと家にいるのが怖かった」

私も夫と家にいるのが怖かった。

義母はいつも自分の息子を応援した。

「日本の家庭ではいつもこうなの。これが普通。あなたが知らないだけ。大学ではそういうことは習わない。彼はもうそのままでいい。彼のことを怒らせないで！　そしたら殴らない！　大人はもう変わらない。あなたは百点満点！　優秀な成績で大学を卒業したわけ！」

「変わろうと思ったら、すぐ変われる」と豊かな経験があり、年上の賢い日本の女性の友達が言った。

私も『気まぐれな世界』によって、すごく変わった。相手は変わろうとしなかったけど。『私たちはまだ若い家族、まだ大変な時期だ』自分を安心させるために考えた。暗い時期のあと必ず明るい時期が来ると期待した。

たまには義母が作戦を変えて、『友達同士として』話そうとした。

「もしあなたが私の言うことを聞いたら、明雄はあなたの手の平で踊るようにどうすればいいのか、教えてあげる。私の夫は実はここだよ！」と指先で手の平に線を引いた。

義母と義父の結婚生活を見たことがある。もしそれは『手の平で踊る』という意味だったら、このようなダンスは全く必要がない。

「それはいらないです！　二人で成長したいです！」その時、私はまだまだ夢みていた。

日本の専業主婦は、特に年上の人は、日本でおそらく一番お金持ちの階層だ。

義母は、多くの日本の女性と同じく、夫のことを財布として扱かった。彼女はそれを隠そうとはしなかった。しかも夫の浮気や、暴力などはそんなに大きな問題ではなく、それは我慢しなければならなかった。でも「お金を渡さなかったら、離婚だ！」

大学の頃、初めての日本語のテキストに同じような考え方の会話が書いていた。女性がお見合いのカタログを見ながら、言った、『彼がちょうどいい、給料も、他の面もぴったり。本当は好きな人は違うけど、結婚にはダメ、給料が低い……』

ある日、義母がきざに言った。

「私は芸者になりたかった」

「何で？」

「だって、芸者さんは綺麗な着物を着るから」

「何でならなかったの？」

「お母さんがしないように説得したけど、三味線が残った。まだ弾ける。前は踊りもしたし…」

…義母はいつも私にいろいろと説教した。

「あなたはここで違うニュアンスを現した！」

違うニュアンス…私に日本語のニュアンスを習わせようとした。日本語学科には特に貴重な手伝い。感謝。


子供とキエフに行った時、「誘惑は誘惑だけど、あなたの人生の基礎はお祈り、聖体、敬虔な生活でなければならない」とお母さんから厳しく言われた。このような人生の基礎に向かおうとした。

周りのことにはもうそんなにひどくは気にせず、プラス思考で頑張ろうとした。家にいる時間を論文のために使おうとした。それは脳の刺激にもなっていた。でも、インテリな話ができる相手がいなかった。

長い間は話す相手がいない時、話の相手はもう自分ではなくて、もうリモコンでいろいろな人と話を始める…ママだったら、こう言う、パパだったら、そう言う、ロマン神父さんはこう言う、論文の指導教授はそう言う、友達のナターシャはこう言う、リディア・イゴレブナはそう言う。

その時、楽天的な性格の私が落胆の罪で頭が一杯になることにまだ恐れてはいなかった。でも私の容姿は？！ぼろを着たオバサン！　かかし！　義母はそのような事態の急変に喜んでいた。夫はこれを気にしなかった。夫はゾンビだった。パソコンとご飯、バックグラウンドはコーヒーとタバコ。それが全ての人生。夫は友達との付き合いはなかった。時間も取るし、高いし！　電話で話した相手はクライアントと母だけ。外出したのは買い物だけで、ほとんど食品のみだ。

夫は聖書の通りに生活をしていると思っていた。奥さんも、子供も隣にいて、彼は隣の畑の代わりに、家のパソコンで仕事をしている。

メディアセンターで初めて夫に会った時、彼が友達と日本語で話しているのが聞こえた。純粋な日本語だったが、見た目は日本人ではなかった。その後、彼はアメリカ人に声をかけ…発音やイントネーションを含めて、純粋な英語で話した。私は驚いた。長年日本人とコミュニケーションして、海外も含めて、英語教師も含めて、大学教授も含めて、そのようなきれいな英語を聞いたことがない！　そのような結果を得るためにすごく頑張ったということを分かっていたので、『頑張ったね！　すごく努力したね！　目標に向かって！』と考えた。

いつも一番親しい人、つまり自分自身とコミュニケーションすると、いろいろな思い出が湧き出てきた。

ある日、知り合いが私に聞いてきた。

「どうやって日本に飛び出したの？」

「本当は西ヨーロッパに留学するつもりだったけど、行先は日本になってしまった」

「何で？　飛行機が行先を間違えたの？」

「そう、大体そう。フランス語と一緒。英語を勉強しないといけないのは分かっていたけど、偶然先にフランス語ができた……」

でも本当に、どうやって？

まだキエフ音楽大学で勉強していた時、夏休みにピアニストとして日本に招待された。多分それでおしまいになると思ったけど、私の人生には日本のページがあまりにも長くなり過ぎて、キエフ音楽大学を卒業後はキエフ大学の日本語学科に入学してしまった。その後、キエフ音楽大学で日本の音楽について論文を書くように頼まれたが、ウクライナにはそのような情報がないんだって。みんな興味があるのに、私以外に誰が書くの？　同意した。

その時、日本の音楽に関する資料どころか、日本に関する資料そのものを探すことがとても大変だった。ウクライナ国立国会図書館にも、キエフ音楽大学にも、キエフ大学にも、資料がとても少なかった。最初に、露訳の全てのものを含めて、日本に関する全ての本を読まなければならなかった。

キエフ音楽大学の図書館では日本に関する本は一冊しか見つからなかった。安部公房の小説『砂の女』だ。雅楽についてもいくつかの記事があった。

もう一つの日本の知識の出所は本屋『ペトローフカ』だった。そこの一つの売り場でアジアに関する本が売られていた。中古も、新しく出版された本も。その時から、そこで日本に関する全ての本を定期的に買った。古代文学、歴史の本、記事集、戦争に関する本、日本の文化と芸術に関する本だ。こうして、私が得た情報はかなり寄せ集めだった。論文の準備は『あっちへ行くけど、どこへ行くか分からない。持ってくるけど、何を持ってくるのか分からない』の民話にますます似てきた。でも、テーマに没頭しないといけなかった。

その時、日本のフィクションはあまり売っていなかった。突然、あっという間に、山ほどの本が出てきた。三島由紀夫、安部公房、川端康成、芥川龍之介、夏目漱石、江戸川乱歩、井原西鶴、大江健三郎、永井荷風、吉本ばなな、村上春樹、村上龍、太宰治、丸山健二、鈴木光詞、高見広春、遠藤周作、灰谷健次郎、桐野夏生、谷崎潤一郎……このリストをいくらでも続けてもいい。私はそれを全て吸収していた。

学生の頃、速読コースを修了して良かった。でも、ある作家の作品はゆっくりでしか読めなかった。例えば、大江健三郎の作品。読みながら、熱を高める時があった、彼の文章はそこまで身にしみた。

学生の頃、私は日本にかなり入れ込んでいて、どんな国にいても、その時はたくさん旅していたけれど、まず必ず周りにいる日本人に目がいった。

ある日、一緒に西ヨーロッパに旅した日本の女性友達が文句を言っていた。

「外国人がおはしで食べると、みんなすぐ褒めてくるんだ。『おはしの使い方が上手ですね！』って。日本人がナイフとフォークで食べると誰もどこでも褒められないのに！」

日本人のためのイタリアのツアーガイドには、ローマにいる時は必ずトリトンの顔が刻まれた古代のマンホールの石蓋である真実の口に行って、トリトンの口に手を入れなければならない、と書いてあった。もし石の仮面が手を噛み切らないなら、つまりその人は嘘つきではないのだ。私の日本の友達もトリトンに寄ろうとした。

「はい、行ってきて。でも手を口に入れないで。じゃないと石が手を噛みちぎってしまうから」と私は言った。

彼女の反応に驚いた。

「あ！　それは私に後で外科に行けってことか！　あ！　日本の両親に何て言えばいいの?！　あ！！」

それで、『真実の口』には行かなかった。

彼女はイタリア人とかなり結婚したがっていたけど、実際にイタリアの現実を自分の眼で見て（例えば、イタリア人が気にせず赤信号でも車を走らせる）、心配して、泣き出して、日本人だけと結婚したほうがいいと決めた。

イタリア人の交際好きも彼女の好みとは違った。でも私は好き！　外国語で五つの単語しか使えない場合も、英語が上手だと保証する。それに信用できないと言えない。

「オランダ?！」その友達が続いた。「いろんなカップルを見て！　もしハンサムな男性だったら、必ず地味な女性。それか逆か。多分、性格とかはいいけど、他のバランスも取らないと！」

……洋服ダンスで洋服を整理している。夫のベージュ色のウエディングスーツを見て、夫の弟の相談を思い出した。

「黒のスーツを買ったほうがいい。結婚式にも、葬式にも使えるし」

私にとってはそれが結構なカルチャーショックだった……

……棚の埃を拭いている。宝石箱を開けてみた。チェーンやペンダントなど。このペンダントは前にエジプトで買ったものだ。取引はとても面白かった。ペンダントに入れる私の名前を予約している。古代エジプトのアルファベットで私の名前の音声マッチングを確かめている。実際の書き方を見せてもらったら、まあ全然悪くはないいね。ヘビのようなものが入り込んだけど。

「あ、何かヘビだね。他の古代エジプトのアルファベットはありませんか？」と聞いた。

二人のエジプト人の店員が吹き出してしまったが…他のアルファベットが見つかった。ヘビの代わりに可愛いヒヨコ。それで私のステージネーム『Yevi』がゴールドで掘られた。

この魅力的に発声する名前は日本で叱らないだろう。音声的な欠点の除去に関する手立てを講ずることが一度ならずともできた……

……結婚。希望は一緒に一生。

結婚式の時、主賓が私たちの初めてのデートについて聞いた。どんなデートだった？　とても優しくて温かいロマンチックな映画のようなデートだった。『映画のような』デートでなかったのがキスとハグだけど。海、夜中の海岸、月の光の私の髪の毛に見とれ…その後、お姫様抱っこをして、車まで運んでくれた。裸足だった私の足を拭いてくれた。落ちた髪を拾って、キスして、胸に隠してくれた……

……バークリー音楽大学。私たちが知り合ったところ。出発前の最後のリサイタルでは、私は『At Last』という歌を歌った。歌は全て低声域だった。そして最後は、黒人の先生の助言に従って、『エラ・フィッツジェラルドのエンディング』を考えた。ステージで少し長く歌った、聴衆が気に入ったエラっぽくない高音。みんな拍手したり、喜んだりした。

「At last my love has come along, my lonely days are over and life is like a song…」

歌手は歌っている曲が自分の人生のプログラミングだとよく言われている。それで、私は自分の人生をプログラミングした。

「結婚する！」と私のフィアンセが友達に言った。

「グリーンカードと？」と意地悪そうに聞かれた。

「いや。ウクライナの女性と」

出発後、私は明雄とよく電話で話した。彼の友達がいつも驚いていた。

「また彼女に電話するの？　彼女はいつもあなたのために時間があるの？　私もそのような彼女がほしい！」

それから明雄は日本に戻って来て、私たちは結婚した。その時、古くからの日本の男性の友達が電話をくれた。

「元気？　バークリーはどうだった？」

「大丈夫よ。結婚しちゃった」

「やっぱり黒人と？」

「いや。日本人と」

「日本人と？！」叫んで、電話を切った。

一ヶ月後また電話をくれた。

「おめでとう」と言った。

それ以外、男性の友達のなかから誰もおめでとうとは言わなかった。

私はみんなに『結婚した』というメールを送った。驚いたことに、誰もおめでとうのメールを送ってくれなかった！

一人の友達のマークだけが独特な方法でおめでとうと言ってくれた。手紙に彼は、毎日スケジュールみたいに、違う女と付き合っていて、彼女達はお互いに喧嘩をしているが、彼にとってはどうでもよい、ということを書いた。私は『あなたはかわいそう』と返事をした。その後、七年後またメールのやり取りをした……それについては後で話す。

どうやって夫を選んだかね？　ハンサムで、頭がよくて、体がすらりとして、才能がある！　ほとんど一目惚れ。でもそれはデートのためだけに大丈夫なことだ。結婚のためには？　分析的な解析も、もちろんあった。まあ、一つの大学しか卒業していない男性は検討しなかった。外国語ができない男性もそう。男前ではなくても、まあ、いいけど、でも、何と言えばいいのかな、実際にハンサムかどうかはともかくとして、そういう理由から生み出されるコンプレックスが問題になる。バークリー音楽大学の卒業生は？　プラス。ギタリスト、作曲家、編曲家？　プラス。お互いの有意義な創造には現実的な基礎だ。日本人？　まあ、それもある意味でプラス。知らない悪魔より、知っている悪魔の方がいい。お金がないと言った。日本人は！　まあ、ないということはないということだ。やはり学生。一緒に稼げる。そういう感じだった。

外国人と結婚？　まだまだそれは大変。なぜ外国人に興味をもったのか、思い出した。

二十歳の頃、合唱団とスイスにツアーに行った。マネージャーの友達が若いスイス人のピアニストだった。三日しか会えなかったが。最後の休日には彼と知人が私を街の観光に連れて行ってくれた。別れる時、彼は有名なスイス・チョコレートをくれた。それでさようならになった。

ウクライナに帰って数日後、彼から手紙をもらった。彼は私への愛について書いていて、客として招待して、両親に紹介したがっていた。私の心に響いた。それで手紙のやり取りが始まった。

少ししたら、こういう手紙が送られてきた。『僕が間違えました。あなたとはもうこれ以上関係をもちません。この前、ウクライナをよく知っている人と話しました。これからはその国の女性とどんな関係でももちたくありません』この知らせは私にとって青天の霹靂だった。

私はショックだった。全てのウクライナ人女性の代わりに傷を受けた。彼が私との交際をやめた理由が、私の個人的な特徴とかではなくて、ウクライナ人というだけの理由だった。

その傷は涙や泣くことに変わったのではなくて、まだ恋に落ちたこともなかったし、でも考えの土台になった。

その時から私はウクライナ人を嫌いになった訳ではないが、何となく自然に外国人の友達が今以上に増えていった。

私はもっと熱心に外国語を勉強した。でも、周りの人と同じく、西欧中心だった。そして、フランス語や英語の後に、残りのロマンス諸語、ゲルマン諸語を勉強することはビーズを糸に通すような作業と同じだということに気が付いた。

その発見で私はつまらなくなり始めた。糸にビーズを通すのに飽き飽きして、何かエキゾチックなことを味わいたかった。考えは物質的であると言われている。それで、早速日本に向かった。

統計的に日本では今まで九八％以上の日本人が住んでいる。そんな単一民族の国は、特にいわゆる先進国のうちにはもはやありません。

普通は空港に着いたら、何が書いてある？『Welcome!』日本でも英語では『Welcome!』、でも日本語では『お帰りなさい！』すぐに誰がお客さんで、誰が主人かを明確に分ける。

日本語。ヨーロッパ人にとっては日本語の勉強は全然『ウエルカム』ではない。最初はどう近付けばいいのか分からない。

ところで、親愛なる日本人は西側の外国人向けのよい教科書が出版されるように、もう少し努力すればよいのに。でもいくら努力しても、なかなかのものだ。あまりのむなしい努力から、「日本語が一番難しい」と言ってしまう。結局、西側の知恵者のために努力するのに力尽きてしまったという意味だ。

でも私たちも、すぐ「やった！」という。そこには類推もあるし、連想もある。そして英語、フランス語、ドイツ語、スペイン語、イタリア語などを自分のポケットに入れる。でも日本語は違う。この言語はとてもデリケートだが、相応しいアプローチが見つかれば、恐怖心がなくなるでしょう。

参考のため、私はオックスフォード市にある大人の日本語教室を見学しにきた。先生は日本人。生徒はほとんど話すことができない。書くことは言うまでもない。隣に座っていたイギリス人の男性が私に声をかけた。

「あなたは日本語が上手だね。僕はまだ二年しか勉強してないんだ」

その時、私は一年も勉強していなかったが、彼の気持ちを考えて、何も言わなかった。理解してうなずいた。でもやぱり驚く。本当に標準的な教授法や、しっかりしたテキストを作っても大変なのか？　もしくはそれは地下政府の政策？　外国人に日本語があまり分からないようにするために……

もちろん、私たちも一気に日本語を覚えることは、特に書く方については、相応しくない方法だ。それはラテン文字でもないし、キリル文字でもないし、ハングルでもない。ずっと我慢と努力が必要だが、何十年も必要はない。一年か二年は自分の国で一生懸命勉強して、その後はネイティヴの国に留学。そこでしっかり集中して、さらに一年、それで十分。信じられない人は怠け者かもしれない。輝くまでは一生努力しないといけない。それはどんなことでもそうだ。

もちろん、私はネイティヴではないが、ネイティヴはネイティヴだ！　ナポレオンでさえ最後までフランス語の発音がネイティヴのようではなかった！

でも、ネイティヴのように話したい、書きたいと思うなら、言う。あなたはいつまでもネイティヴの『ような』人にしかなれない、いつもコピーや似せたものであって、ネイティヴではない。その『ような』ことのためにそんなに時間と努力を使う価値があるの？　みんな母国語がある。残りの全ての言語は補助言語だ。

民族衣装。着物。例えば、あまり知られていないが、着物も浴衣も、日本では左側を右側の上にしないといけない。逆の場合は亡くなった人の葬式のためにだけ使われる。当然、そのように着物を着たヨーロッパ人を見かけたら、どんな反応をするか分かる。

でも実際それでどうなる？　そんなふうに着物か浴衣を着た人はそれで死ぬ訳ではない。もしその人が詳しいことを知らずに、分かる日本人がその人を見かけたら、どのように着なければならないか教えてあげるといい。日本人がウクライナ民族衣装を着ると？　例えば、エプロンはスカートの裾より長い。それで日本の艶やかな雑誌の写真に載っている！

ナショナル・アイデンティティーについて話したら、違う話題になる。民族衣装はちょうどその民族の人々がそれを着るためにある。

そうじゃないと、次のような冗談になりそう。イスラエルに住んでいるウクライナ人がウクライナに住んでいるウクライナ人の友達に電話している。

「ワシーリィ、こっちに来てよ！　あなたのために仕事も見つけたし！」

「どんな仕事？」

「ユダヤの伝統的な楽器のオーケストラで演奏すること！　演奏家はみんなウクライナ人！　指揮者もそう！」

「ユダヤ人は一人ぐらいいる？」

「まあ、ワシーリィ、一人はやっぱりいる。まあ、知っているでしょう、彼らはどこにでもスキマを見つける！」

また食事を作っている、またコーヒー豆を挽いている、ついでに博士論文について考えている、どんなアイディアを発展させた方がいいのか。考えている、考えている、コーヒー豆を挽いている、挽いている……

さて、十九世紀半ばに日本はアメリカ船の圧力に屈した。最初に『興味をもった』船がロシア帝国の船だった。それは全く秘密なことではないが。圧力や脅迫などはしなかったけど。実際、日本は別の隣国に進路を取って、その時から正教徒になることができたのに……

しかし隣国ロシアの気遣いは日本に断られた。アメリカは圧力を使って日本に勝った。黒船が集められて、大砲が並べられた！　日本の自己保存の本能が働いて、アメリカの船に『いらっしゃいませ』をせざるを得なかった。

まあ、日本はなんとか二百年以上閉鎖的な生活をすることになった。二百年は日本では日本人だけ！『それで、突然、背が高くて、目が大きくて、足が長い白人に会った！　それは宇宙人に会うのと一緒だ！』と私はその時代の日本人を理解しようとしていた。『それで、大砲からブン、ブン！　だって、宇宙の強奪者だ！』

その後、ほぼ一世紀後、その海賊とやはり戦ってしまった……パールハーバー、広島、長崎……日本人の意見によると、その戦争は日本人の根源がなくなる問題がでてきた。第二次世界大戦の前は日本人は自分の国にも、地球にも、宇宙にも、安心感を抱いていた。戦争後アメリカ人は日本の天皇が他の国の天皇より上位で、日本の島は聖なる源泉に基づき他の国より勝るというドクトリンを日本人に禁止した。さらに日本国民が自分たちの先祖と聖なる源泉のおかげで他の国民より勝るというドクトリンも禁止された。でも日本の天皇の詔勅には、日本の天皇は神であり、日本国民は他の国民より上位で、そして世界を統治するのは宿命であるという概念はやはり虚偽であるということが書いてあった。では、何でアメリカ人は虚偽のドクトリンを廃止するの？　アメリカ人は理由なしにそれを要求する訳はない。そういう訳で、日本人によると、日本人がこの世界では唯一の聖なる民族だということでしょうか……

さて、魚もグリルで焼いた、味噌汁も出来ている、ご飯もそろそろ炊き上がる、大根サラダにはゴマドレッシングを足すだけ、漬物の豆も出す。

あら、何について考えていたの？　そうだ、ドクトリンと宗教だった…

そして、オックスフォードの教師の冗談を思い出した。『考えることは病的なプロセスだ』私は本当にそうなってきた。

「あなた、夕飯だよ」理想的な奥さんの役割を続けている。日本の食べ物と出し方というのは、それぞれを別の容器に入れ、食べ物によっては特別に決められた容器に入れる。ご飯はお茶碗、味噌汁は味噌汁のお碗、魚は魚のお皿、サラダは別のお皿、豆もまた別のお皿、漬物もそう、魚には大根おろしと醤油。綺麗だね！　でもお皿洗いは誰がやるの？　夫はその数えられない量を全く気にしなかった。

「食器洗浄機を買った方がいいんじゃないの？」夫に聞いた。

「あなたは何をやるの？」

『私はコーヒー豆を挽く、コーヒー豆を挽く』冗談として言いたかったが、夫は冗談が好きではなかったから、黙った。

彼は冗談が好きではなかったが、コーヒーはいつも好きだった。リットル単位で飲んでいた。コーヒーが和食に全く合わないのが彼には関係なかった。彼は寿司屋にも行かなかった。そこにはコーヒーがないからだ。

家は昼間も夜もいつも電気が付いている。日本の電力会社は、昼間でさえできる限りたくさん電気が利用されるように、どうやってビルを建てればよいのかについて、日本の建築会社と真剣に交渉したそうだ。日本の市民はどのぐらい電気を使う？　もう一点、東京と東京近辺では結構早く暗くなる。夏でさえ夕方の十八時ごろにはもう真っ暗だ。みんな『ろうそくの生活』をしている。

私と娘の仲の良さはみんなの憧れだった。いつも、いつも一緒。お互いにぞっこんだった。ある日二人でぶどうを食べた。私はぶどうが大好き！　娘の皿に最後の一個のぶどうが残っていた。私は聞いた。

「ママにくれる？」

娘はお皿を見た。一個しか残っていない。娘は迷わず、手で渡して、純粋な目で見た。私の心に響いた。

日本の専業主婦の停滞。現代の日本人女性の大多数はそれで満足しているそうだ。夫は法的に妻と子供を経済的に援助しないといけない。妻には夫と子供に対して違う役割がある。しかし外国人の妻に対して、日本の夫は経済的な面を明らかにしない方を選ぶ。外国人の妻は日本の法律を勉強する訳ないし。妻を玄関より先に行かせないようにしている。日本では妻は家にいるべきで、法律が分からなくても、それはちょっと見ただけで明らかだ。

マンションや家を買う時、普通は長期のローンを組んで、その時には特別な保険にも加入する。夫は住宅ローンを受け取って、同時に必要な保険の手続きをする。もしも夫が死んだら、妻は何も払わなくてもいい、保険で済む。必要な場合は死を早めてもいい。

ある日、義母は自分の友達について話していた。

「彼女は夫が愛人に使った金額を知った！　それで、すごい料理を作り始めた！　糖尿病になってしまった！　それから他の病気も重なって、六十歳で死んだ！　すごい我慢！」

義母は自信をもって、答えに疑いもなく、私に聞いた。

「うちの夫の世話はどう？」

「よく世話をしている」と私は賛成した。「彼はあなたのどんな世話をしている？」

義母はその質問にピクピクして、すぐこの答えが出てきた。

「お金をあげている！」

ちょっとしたら、

「私の世話をしなくてもいい、自分で世話をする！」

まあ、妻の世話、妻に対しての注目、それを期待する女性はあまりいないそうだ。例えば、義父は義母に一度も誕生日プレゼントをあげたことがない。たまにはこう言っていた。『誕生日の時、高級なレストランに行こう！』待ちに待った日がやってきて、仕事から帰ってきて、玄関での最初の質問は、

「今日の夕飯なに？」

そして、結婚生活で彼は一度も花をあげたことがない。彼女はこのことを悲しい声で言った。心の中は期待していたんだね。


夫は自分のパソコンに隠れて、周りは誰も気が付かなかった。

身だしなみもあまり気にしなかった。全て一緒。外出用の服も、家の中も、寝る服も、全て一緒。

「寝る時ぐらい、ジーンズを着替えたら？」彼に言った。

「考えておく」と答えた。

ある日、友達に悩んだ。

「夫とは一緒に寝ない」

「どういう意味？」

「全く一緒に寝ないという意味。私は子供と夜に寝るけど、彼は私たちが起きている時に寝る。二時間ぐらい寝て、また朝まで寝ない」

義母は相変わらず説教をしていた。

「夫の健康はあなたの責任！」

どうやって責任を取るの？彼はタバコを吸ったり、一日にコカコーラと二リットルのコーヒーを飲んだり、寝るのが不規則で、衛生を拒絶しているのに！

夫はパソコン、パソコン、翻訳、翻訳、でもお金はいつもない。

「この世は理想的ではない」彼は何度も不満げに繰り返していた。

「もちろん理想的ではない。でも仕事に気を向けたら？　社会に出たほうがいいじゃないの？　そうしないと、全く淀んでしまう」

今度ははっきりと言った。

「私はあなたと不幸。何かを変えないと」

「僕はあなたと幸せ。何も変える必要はない」

もしそれが幸せな結婚生活だったら……悲観的だ……

ある日友達が家に電話してきた。夫が電話に出て、カンカンになって怒った、翻訳するのに邪魔なんだって。後で彼女に電話を掛けなおした。

「夫を許してください。その人と人生を歩んでいる」と私は言った。

家の電話に誰も掛けなくなった。携帯は高い。私は誰にも電話しちゃダメ。

「お金がない！」もし一円でも携帯の請求額が増えたら、喧嘩だ。

徐々に夫は完全なゾンビになった。数字の話ばっかりで、頭の中は計算ばっかり、親指姫のモグラの計算とあまり変わらない。

「今月はお金があるけど、来月はもうないかもしれない。もし二十日までに振り込みがあれば、家賃は払える。公共料金はまだ待てる。もし電気が止められるのであれば、電気代は払う。タバコは…タバコなしなんてできない」耳栓をつけて、独り言をつぶやいていた。

また暴力。私はまた警察を呼んだ。それで？　警察の前で彼は無実の目で誓った。

「殴ってない！　殴ってない！」

私は警察官の目の前で急いでリュックを準備して、家を出た。夫は電話をしたり、メールを送ったり、謝ろうとした。

やっとざっくばらんに有意義に話をして、結婚生活を片づけて、将来のもっと明るい目標に向かうことができると期待して、私はやはり戻った。

夫は、

「まあまあ、全て分かった、全て分かった！　今は急な案件があるので、話す暇はないんだ！　後でしよう！」

そのようなお帰りの言葉でまた家を出たほうがよかったけど……

言葉で話す暇はなかったが、体でコミュニケーションした。分かった。許そう…

また平日、平日。料理、掃除、洗濯、掃除、料理。夫はパソコン、コーヒー、タバコ、コーヒー、パソコン
…

突然、私の生活に何か新しいことが割り込んできた。朝起きたら、つわり…はい、私はまた妊娠した……タイミングが悪かった、とても突然。でも子供はいつも嬉しいこと、長女といい年齢差になるし。中絶については考えもなかった。夫も嬉しかったみたい。

家族に借金があるのは別問題として、四人で今の兎小屋で暮らすのは不可能だし、夫との関係も悪いし、子供たちの世話を手伝ってくれる人もいない。博士論文はまだ終わっていないけど、それこそ他のことに比べると細かい問題だ。

妊娠中は女性の体が結構変わる。その時こそ、特に夫からの支えと優しい言葉がいる。女性は体力的にも精神的にも弱っている。

妊娠中のホルモンの変化は眠気や気分の変化をもたらして、私の場合はつわりもひどかった。でも、いつも

家にいる夫からは世話や優しさを期待しないほうがよかった。逆によくからかわれた。

「今からちょうど仕事が始まる時期だね」

その後、虐めもつけ加えた。

「子供は一人はおんぶ、もう一人は抱っこ、それで事務所に行く…」

ある日、私の銀行口座の情報が届いた。相変わらず、封筒には『親展』と書いてあった。夫は遠慮なく私の目の前で封筒を開けた。

「あ！　あなたはお金持ちのピノキオ?！　また出産費用は自分で払えるね。僕は借金ばっかりだから！」

私は何も言わなかった。


最初に妊娠した時、なぜ日本人が妊婦に席を譲らないのにただただ驚いていた。私のお腹は目の前に座っている乗客に乗るほど大きかったが、彼らには見る目すらなかった。二回目の妊娠の時、行動を変えた。若い男性の前に立って、言った。

「妊娠しているんだけど」

「席を譲ってくれという意味ですか?」

「はい」

それで座る。

でも日本人だけではなくて、外国人も席を譲ってくれなかった。

二歳の娘と地下鉄に乗って、自分は妊娠七ヶ月。優先座席に近づいた。三人の日本人の女性が座っている。一人は派手な現代人の若者だ。アフリカのオウムの化粧、ミニスカート、アクセサリーなど。二つの駅が過ぎた。誰も動かない。若者に聞いた。

「恥ずかしくないの？」

「え、何？」

「目の前に小さな子供を連れた妊娠中のお母さんが立っているのに、あなたは席を譲ってくれない」

「だから？　いや、恥ずかしくない」

隣の女性が立とうとしている。

「どうぞ座ってください」

「いいえ、ありがとうございます。彼女は席を譲ってくれるのかしら？」

結局譲ってくれなかった。

ある日、夫の妹が言った。

「私たちも考えさせられている。もし今の日本がそうなら、私たちの子供が大人になる時にはどうなるの？」


突然、夫は私に外出することを禁止した。もしどこかに行かなければならない場合は、夫と一緒に車でいかなければいけない。このようなお出かけは食材の買い出しばかりだった。買い物は夫の不規則な時間に合わせないといけなかった。夜の十一時？　ちょうどいい！　その時間には夫が一番元気だった。小さな子供？　妊娠中の妻？　それは関係なかった。全ての買い物をちゃんとチェックして、レジで支払う。それはまだなんとかできた。でも買い物をもっと相応しい時間にできるように、妻にお金を渡すということは話題にもならなかった。夫が指示した通り、従わなければならなかった。

長女の世話や、家事や、日常生活は、相変わらず私の役割だったし、その上で、さらに夫は私に翻訳をやらそうとした。家族にはもっとお金がいるからだ。私がやった翻訳の報酬は、良心の呵責もなく自分の口座に入れていた。

今、その時の生活を思い出してみても、理解できない。本当に私にはその状況からの出口がなかったの？何で私は愚痴ひとつこぼさずそれを我慢していたの？　多分、当時それは一時的なことだけだと思っていたのかもしれない。妊娠とは大変な試練だと考えるようになった。実際、それは幸福だ。でも、その時期を幸せな状態で過ごすことができる女性は少ない。

ある日、勇気を出して、運転中の夫に言った。

「あなたは妻じゃなくて、無言の操り人形がいるんじゃないの？」

「その役割が好きなんじゃないの？！」と得意そうにニヤニヤしながら言った。

急ブレーキ、車は高速道路を走っている。ハンドルは突然右、左、左、右。子供はフロントガラスにぶつかった。周りの車は気をつけている、私は黙っている。

あ！　話すタイミングが悪かった！　夫は運転席！　お祈りと痛快を始める。

私は本当に口論どころか、話すための体力もなかった。黙って、夫に従った…

私が興味のあるインターネットのサイトで何か読もうとした時、夫は怒った。

「暇なの？　やることがないの？　何でパソコンの前に座っているの？」

その後、夫が寝ている時、私が見たサイトが分かるようにホームネットワークの設定を変えて、コントロールするようになった。私にはもう一つのルールが増えた。ハウスキーピングと子育て以外のサイトを見てはいけなくなった。

私はほとんど外出をしなかった。子供と近所の公園に行くだけだ。私たちの家族には周囲のことがほとんど存在しなくなった。私たちは自分の殻に閉じこもって生活する孤立したミニ社会だった。徐々にカレンダーでさえ必要がならなくなるほどまでに、外がどうなっているか私には分からなくなった。金曜日も、日曜日も、月曜日も、毎日が同じ。外に行く必要がないからだ。脳はもうずっと前から生活への興味を失っていた、いわば、脳は日本の夏の暑さで溶けてしまった……あ！　もう夏！　多分、もうずっと前から夏で、長い間暑い。もうすぐ出産です……

義母から電話をもらった。百歳のおばあちゃんが亡くなった。明後日が葬式だ。妊婦のための黒いドレスを買いに行く。私はこれだけで鳥肌ものだ。葬式はちょうど娘の三歳の誕生日だ。その重なりで膝が震えている。

おばあちゃんは最後の数年間を老人ホームで過ごした。私たちは何回か彼女を訪ねた。彼女は自分の娘に、私の義母、家に連れていくようにいつもお願いしていた。

「すごく家に帰りたい。すごく寂しい」

「はい、はい、もうすぐ連れて帰るよ。そうしようね」と義母は数年間いつも答えていたが、口だけだった。

おばあちゃんには子供が七人いたが、誰もお母さんの世話はしたくはなかった。世話になったのは老人ホームに入れて、請求書を支払うことだけだ。

ある日、私は義母に聞いた。

「何で七人も子供がいるのに誰もお母さんの世話ができないの？　一緒に暮らすとか…」

「誰がそんなことやるの？！　私？！　私には夫がいる！」

この言葉を聞くのが怖かった。七人の子供を育てたけど、年を取って体が弱った時には、一つの展望しかない。老人ホームと火葬場だ……

おばあちゃんの葬式の二日後に陣痛が始まって、次女が生また。長女と双子みたい。身長も体重も同じ。でも、性格はすぐに違うものが現れた。頑固で、自信に満ちた性格だった。

夫が赤ちゃんを見て、言った。

「また美人。でもまた女の子。つまらない。また人形だけで、サッカーもなし。『勝奈』の名前を付けよう！」

「でも、彼女のために二人で既に違う名前を選んでいる」

「いや！　勝奈にしよう！　おばあちゃんに死ぬ時にその漢字を付けられた。おばあちゃんの記念に名前を付けたくないの？！」

子供の名前は優先的なことの一つなので、私は前に選んだ名前を軽く主張した。名前の登録までは二週間だった。そしてやはり雨垂れ石を穿つ。夫は私たちが前に選んだ名前を登録することに同意した。私と夫を教会で結婚させた修道士が一番尊敬した聖人の名前だった……


産院から戻ってきた後は全て相変わらずのままだった。ハウスキーピング、掃除、毎日新鮮な三食、長女の世話、赤ちゃんの世話、夫の欲の世話……

出産後、女性の身体がかなり弱っているということに、おそらく夫は全く興味がなかったようだ。自分で倒れないように、そして毎晩ひっきりなしに起きて常に配慮が必要な赤ちゃんの世話ができるように、身体にはリハビリや昼寝も含めた十分な休養が必要だ。

まもなく私は頭が痛くなり始めた。三ヶ月後、頭がずきんずきんするようになった…

「私は疲れた」夫に話そうとした。

「僕も疲れた」夫が話を切って、耳栓を付けて、玄関へタバコを吸いに行った。

全てが相変わらずだった。

「神様が耐えらない試練をさせる訳ない」と毎日のように夫が繰り返していた。

「息子を預けてください！　子供の世話は自分でやる」義母と電話で話した時、魂の叫びがほとばしり出てきた。

私の状態は神経衰弱に近かった。

「そのような感情的な換気は何が原因だったの？」意地悪そうに夫が聞いた。

「神様が耐えられない試練をさせる訳ない！　また言わないといけないの？」夫が狂気じみてまた叫んだ。

神様は一番好きな人に一番大変な試練をさせると言われている。でも、神様はみんなを平等に愛している……

クリスマスが近づいた。私はもっと祈っていた。

……がしゃっ！！　夫が足でドア、壁を蹴った！　がしゃっ！！　殴られた……赤ちゃんを抱いていた……

がしゃっ！！　突然頭を殴られた……空から星が落ちてきた感覚……目の前は真っ暗……ひざまずいて、赤ちゃんを抱いている……長女が部屋の隅で泣き出した。がしゃっ！！　肩甲骨がずきずき痛んだ……がしゃっ！！

がしゃっ！！！　がしゃっ！！！！　もう全身が痛む。目の前は相変わらず真っ暗。でも赤ちゃんをギュッと抱いている……三歳の長女が怖くて泣いている。がしゃっ！！　がしゃっ！！！　がしゃっ！！！！　どのぐらいそれが続いていたのか分からない……

……目の前で何かがかすかに光っていた……赤ちゃんが私と……周りは静かで、部屋の中はぐちゃぐちゃ……でも周りは静か……つまり、私たち以外に家には誰もいない。頭の中は霧と星……濃い霧と薄暗い星……突然、頭の中で聞こえた。「一番必要なものを取って、行きなさい」私は立ち上がって、赤ちゃんを抱いて、そのまま何もないところに行った……

誰かの顔、車が泳ぐように通り過ぎた。あ、ホームレスが近づいてくる。彼は私を見て、明るくなった。誰かが彼よりもひどく見える！

まあ！　ぼさぼさの髪の毛。服はひどい。スカートは抱いている赤ちゃんのおしっこで汚れている。

「どこに行くの？」と聞かれた。

「成田」

いぶかしげな眼差しで私を見送った。

その後、また誰かが聞いた。

「どこに行くの？　心配しているよ」

「西……」

みんな固まっていたけど、誰も手伝おうとはしなかった。赤ちゃんを抱いたお母さんが外見で助けを叫んだのに！　私はもうかなり長い間歩いていた。どこへも繋がっていない道。私の体力は限界だった。もうそろそろ空へ飛べるかもしれないと感じた…ちょうどその時、私は大声で叫び始めた。恐怖で叫んだのではない。いいえ。大声で叫んで、助けを呼びかけた。

「Хлопці!　Хлопці!!　Допоможі-і-іть!!!」[2]

私の潜在意識に残っていたのはこの言葉だけだった。この言葉だけ……

相変わらず、誰も助けに急行しようとはしなかった。私の足はよたよたしていた。私は車を止めようとしたが、もちろん、無理だった。そして、私は車の走っている道路に直接出ることにした。車は私たちの周りをぬってうまく進んでいたが、目の前で起こっている出来事に何らかの他の形で誰も反応しようとは思わなかった。ちょうどその時、私の足がへなへなになった。私は車道部分の真ん中で膝をついて、赤ちゃんの上にかがみ込んだ。とうとう立ちすくんだ……

どのぐらいその状態でいたのか分からない。たくましい両手が私に立ち上がらせてくれるのをやっと感じた。何か聞かれているけど、答える体力がなかった。交番にやってきた。また質問、私は黙っていた。突然どこからか知り合いのマリーナが出て来た。

「エバ、エバ！　どうしたの？　うちに来て、話そう」

話す必要があるの？　今はもうただの率直な話し合いでは済まない。そもそも何のためにここにこのマリーナがいるの？　同情心からいるのではなくて、好奇心にかられているのだから。私は反応しない。たまにウクライナ語で何か言っているだけ。彼女は電話をかけている。

「もしもし、マーシャです。彼女と話して。ウクライナ語で」

マーシャの声が聞こえるが、また黙っている。

突然、私の夫が現れた。呼び出されたのだ。

「家に帰ろう。早く！　僕は仕事！　依頼がある！　こんな演劇をする暇なんてない！」

私は反応しない。彼は警察官の目の前で私の襟首を掴んで、出口に連れて行こうとした。私は振り切って逃げようとした。警察官は小さくて、冷静な声で夫に言った。

「暴力と強迫はやってはいけない」

私は何かを説明していた。

「彼とはどこにも行きません……」

かっとなって、夫は出ていった。

私の目の前はかすんでいる。誰かが何かを話している。他の警察官はデスクワークしている。

突然、新聞記者が現れた。センセーションの写真を撮るために！『聖母マリアと幼児！』すごい評判。これが楽しいのなら、楽しませる。

外は真っ暗。目の前には義母。

「あなたは疲れた。みんな疲れている。私の家に行こう。彼が冷静になるまで。あなたは寂しかったのね？寂しかった？　分かるわ。いろんな人が寂しい」そのようなくだらない、意味のない表現で、義母は私を落ちかせようとしていた。

一応、自宅に寄った。誰かの声が聞こえる。

「一番必要なものだけを持って行きなさい」

持って行くのは二人の子供。子供の洋服。自分の着替え。教会の結婚式に関するもの。聖書。祈禱書。イコン。家で夫が謝ろうとした。くだらなくて、ばかげた謝罪。多分、ママがさせた。その日から夫の姿はモンスターにしか見えなかった。

目の前のかすみがもっと濃くなった。周りはどうなっている？　私は話せない。唇も舌もまわらない。クリスマス、降誕祭の日だった。二〇〇八年一月七日……

……誰かの声が聞こえる。

「今は何を持って行く？」

目を閉じている。私は立ち上がった。十字架の形で立って、叫んで飛んだ……体が倒れた……

「あーー！！！！　馬が追い出された！！！！！！」不気味な、底意地の悪い声が響きわたった。「彼女も私たちの、私たちのーーーー！！！」

ほら！　私はどこかへ運ばれた。不気味な声がどこか下で……

「スケール」と静かで、冷静で、自信に満ちた声が言った。

「どーーーぞ！　どーーーぞ！　彼女の人生ーーーー！」地獄からさらに力強い声で叫びたてた。「記録！！！！　写真！！！！　今私たちの、私たちのーー！！！　引っ張りなさい！！！！！！」

「スケール」静かで冷静な声が繰り返した。

私は目の前で正義のスケールを見た！

「どーーーぞ！」また地獄から声がして、誰か邪悪な人物が記録のひとつを左の秤皿に投げた。突然、スケールが歪んだ。「どうぞ、彼女の罪の重さ！！！」

「これが私たちの答えです」と冷静で自信に満ちた女性の声が言った。秤皿のバランスが取れていた。

「どーーーーぞ！　どーーーーぞ！」地獄から不気味な声が続いた。「さらに、どーーーーぞ！！！」

「これが私たちの答えです」また冷静な女性の声が聞こえた。

秤皿のバランスがまた取れた。

「どーーーーぞ！　どーーーーぞ！！」地獄から声が叫んだ。

「それは全て痛快で済んだはずだ」女性の声が反対した。

「どーーーーぞ！　どーーーーぞ！」地獄から声が叫び続けた。

「それは全て心からのお祈りできれいになったはずです」

「お祈りの仕方を忘れさせてやる！！！！！」

「バスを聞いて」静かな、でも自信に満ちた女性の声がこっそり言った。

どんな音になった！！！！　世界中の不協和音を集めて、そこに全てのやすり音、きしみ音、断腸の叫び声、世界中の騒音を加えたら、それでもその時に聞こえたことを述べることはできない……

バスにはっきりしたラインが聞こえてきた。私はそれに集中して、繰り返している。『主、憐れめよう、主、憐れめよう、主、憐れめよう、主、憐れめよう……』たまに私はリズムがずれていた。『憐れめよう、主、憐れめよう、主、憐れめよう、主……』その後、またリズムを正して、バスをもっとはっきりと保っている。『主、憐れめよう、主、憐れめよう、主、憐れめよう、主、憐れめよう……』上の方で不協和音が続いている、私はバスのラインを保っている。地獄はうまく自分のバスを取ることができた……あそこは全然違う。ポリフォニーを聞いている……メインのラインが『主、憐れめよう』……突然、メインのラインがソプラノになった！　すごく簡単！　あ！　何で今私はリラックスした？　……必要な音が全く聞こえない……激しい打音！

私はどこ？！　ここは何？　この髪をボサボサにした群衆って何？　みんな食べて、飲んでいる！　このパーティーって何？　何を食べて、何を飲んでいるの？　何？！！　目の前がはっきり見えるようになった……あ！

真っ暗の方が良かった……肌のない半裸の人々が紙幣を食べていて、紙幣を飲んでいる。

「それが永遠に続く！」不気味な男性の声が得意そうに、大声で、私に説明していた。

「金への貪欲さが消え去った」私の脳裏をかすめた。

その後は次のホール。肌のない半裸の人々は、暗くて燃える悪臭の中で、上に浮かび上がったり、完全に下に沈んだり、また上がって何かを叫ぶ。音が分かるようになった。

「地獄がある！」そして上から燃える悪臭の雪崩が襲いかかった……

「あーーる！！！　あーーーーる！！！！！！　何でないんだ！！！！！！！！！！！」大声で得意そうに叫ぶ同じ不気味な男性の声を確認した。

「以前は瀆神者だった」私はそのホールで見たことを総括した。

「もっと見なさい！　もーーーっと！！！！　もっと『人生のた・の・し・み』を見せてやろう！！！」底意地の悪い声が大声で叫んだ。

目をつぶりたかったけど、他の目が見えていて、その目がつぶらない……

あーーーーーー！！！！！！！！　突然上に飛んだ！！　あーー！！！！！！！！！！　地獄は下だ！

あーーー！　天国！！！！！！！　でもリラックスしちゃだめ！！！　今の次元にもリラックスしちゃだめ……

あーーー！　突然、高く、高く、高く飛んでいる！！！！！　目の前に地球の歴史が出てきている！　光が生まれた時から！　それで、前に私の頭の中に残っていた質問に対する答えが発せられた……今、銀河が出てきた
……あー！！！！！　ほら、私の曾おばあちゃん、彼女にちなんで私は名づけられた……明るくて穏やかな顔
……あーーー！！！！！！！　まだ質問になっていない答えが発せられた……

短い休憩。

「後はどんな質問が残っている？」もうよく分かる冷静で自信に満ちた女性の声が尋ねた。

「無いです」私は答えた。

「そうしたら、これからは実践です。自分の人生から種と殻を外しながら、全てのレベルで同時に働きなさい」

女性の声が私に説き聞かせた。

……大地の光が見えてきた……

「どう?!　お祈りした?!」義母の大地の声がはっきりと聞こえた。「目覚めた!　一週間も経っていなかった!!!」

私は三日間以上昏睡状態に落ちていたと判明した……

第二章
ジレンマ

「十五日にまた医者の診察に行こう。その時、今のようにしなさい！　じっと見つめて、黙りなさい！」と義母が私に説教した。

私は本当にそれまで広く目を開けて、黙っていただけ。私はどうしたの？　私はどこにいた？　今は義母の家にいる。その前はどこにいた？　どうしたの？

「私は昨日熱が出ていた？」義母に聞こうとした。

「全く熱はなかった！！」

「話せるの？！　声がなくなれば良かったのに！」どこか横に付け加えた。

義母は毎日三回私に何かの薬を飲ませようとした。飲むの？　だって、どんなものなのか全く分からない。初めは薬を口に入れて、その後、汚れている赤ちゃんのオムツに出していた。

病院に行く。診察室に入る。

「今日は全く違います。体力が戻ってきましたね。座ってください」

それから医者が義母に質問した。

「その日はどうやって過ごしましたか？」

「彼女は薬を飲まなかったです！」

「なぜ薬を飲まなかったのですか？」医者が私に聞いた。

「この状態は薬では治せないです」

「義母がいると話しやすいですか？」

「薬については、はい」

医者はまた義母の方を向いた。

「外で待っていてください」

義母が出て行った。

「あなたの状態を教えてください」

私は質問から始めた。

「なぜ入院させなかったのですか？　私は数日間昏睡状態でした」

「あなたの親戚が断りました。外国人ですから」

「外国人には治療が必要ないのでしょうか？！」

「あなたが言っていることはよく分かります…親戚はあなたが日本語をよく分かっていないですので、病院で目が覚めたら、逆にもっとショック状態になると言っていました。親戚が同意した上で家に行かせました。でも、僕は入院を勧めていました」

「何回診察しましたか？」

「今日で三回目です」

「夫と暮らすのが怖いです。今はどうすればいいですか？」

「法律に詳しいスタッフと相談します。二、三週間後にまた診察に来てください。その間よく休んでください。あなたは病気ではないです。疲れすぎています。よく休んでください」

義母が車の運転していた。黙っていた。顔をしかめて、考えていた。彼女の夫がいる前で感情の赴くままにふるまった。

「あ！　泥！」それは私と義父の二人の呼び方だった。「何をさせた？！　お嫁さんの世話まで！　彼女は薬も飲まなかった！　私なら飲む！」

義母は芝居らしく袋から薬を出した。芝居らしく一つ取った。また芝居らしくすぐ飲んだ！　でも、それは始まりだけだった。

彼女は私にストリップを見せようとした。ほら！　セーターを脱いだ。ほら！　ブラジャー！　私の娘達は同じ部屋にいて、全て見ていた。日本の半裸のおばあちゃんがシューッと言ったり、叫んだり、自分の夫の面を殴った。義父は何も言わなかった。やっと彼女を隣の部屋に連れて行った。彼女もう部屋着で飛び出した。

「今から私は病院へ行く！　私には医者がいる！！」

それでまた薬を飲んだ！

「彼女のイクラとお魚と一緒に彼女をつまみ出せ！」大声で自分の夫に叫んで、家を出た。ちょっと時間が経ってから私のモンスターの夫が来た。話はせず、私と子供達を車に乗せて、ドアをロックして、横須賀に連れた。

医者に電話しても、無理だった。

「診察に来るか、もう電話でくだらぬ言いがかりをつけないでください」と私は受付で言われた。

「今は診察に来るのが難しいです。違う県に住んでいますから。医者とちょっとだけお話ができれば」

でも、きっぱり断られた。

医者と会うように夫にお願いしても、無理だった。

「また洗脳を受けるために？　自分の役割を果たしなさい！」

夫に外出を禁止された。電話で話すのも禁止だった。内緒で誰かに電話すると、夫が受話器を取って、叫んだ。子供の世話と家事は惰性で行われた。長女は幼稚園に通う時期を待っていた。それは日本の基準では三ヶ月後だ。その時やっと私は休めると思った。弱っている体の体力が日に日になくなりそうだった。

ある時、夫は三日間家にいなかった、何となくいなかった。その三日間、私は全く部屋から出られず、いつも横になっていた。次女は隣に布団で横になっていた。彼女にほとんど出ないおっぱいをあげていた。長女はほとんどほったらかされていた。

夫が帰ってきて、何も気がつかないふりをした。

「死にそうなふりをするの？　まっすぐ歩きなさい！　全くあなたの脳内を叩き出すまで待っているの？！」

相変わらず、全ての行動、全ての動きが惰性で行われた。子供を食べさすこと、お風呂に入れることは、優先的だったけど、自分の髪をとくのは？　後でいい。もう一週間ほど後にしようと思っている。どうやってその長い髪をとくの？　スカーフを着る……

「あ！　美人！　もう雑巾を頭に付けたの？　車に子供を乗せて、ドライブに行こう」とニヤニヤしながら夫が言った。

「私には……できません」何とか反対しようとした。

「イヤ、できないことはないでしょう。車に乗って！　早く！　ドライブがいる！！！」

車でどこかへ走っている。夫は好きな荒い運転を楽しんでいる。スピードは限界だ。ほら！　突然ブレーキをかけた。長女はフロントガラスにぶつかりそうだった。今回は何とか大丈夫だった。またスピードは限界だ。またコントラストだ。突然スピードを出す、突然ブレーキをかける……やっと止まった。

「じゃあ、美人、一流ホテルでお茶を飲もうか？　頭から雑巾を取って！　自分でできないの？　手伝ってあげる。ほら！　お！　僕の奥さんじゃなくて、メドゥーザ・ゴルゴナ！　スーパースター！」

妻に叫ぶ、見下す、家庭ではもうおかしくはなかった。二人目の出産後、それは当たり前になった。でも、妻と小さな子供を車に乗せて、車の中でタバコを吸って、大きな音で音楽を聴きながら、一晩中ドライブに行くのがまだ当たり前ではなかった。子供はそれでも寝てしまったが、私はそのような状態で寝るのが怖かった。朝は家に戻っていた。そのようなことが結構繰り返されていた。

待ちに待った日が来た。長女が幼稚園に通い始めた。次女が寝た。私もちょっと休もうかな、横になろうかなと考えた。でも夫は自分の欲望が出た。何とか断ろうとしたが…がしゃっ！！！

それは男性にとっては楽しみ…倒れそうな女性とこうする……

長女はもう一週間幼稚園に通っている。私の日常はいつも一緒。それは全く生活らしくない。誰に言える、誰が聞く、誰が助ける？　私はもう普通に話すことさえできなかった。どうなっているのか、自分でも分からなかった。夫はいつも嘲笑っていた。

「それが人生。それこそあなたの本当の人生」

ある日次女を抱いて、玄関にちょっと行って、家を出た……幼稚園に来た。ガラスドアの前に止まった。赤ちゃんが抱っこひもに入っている。ガラスドアの反対側は先生達と事務員がいる。私はドアをノックした。誰も開けなかった。ドアはガラス製だ。私と赤ちゃんがよく見える。立って待っている。頭を下げて、もう何時間も待っている。誰も理由を聞こうとはしない。多分、長い間赤ちゃんを抱いて、ただ立つのが私の趣味なのではないかと思われたかもしれない……

もう暗くなった。夫が出てきて、私の胸を掴んで、階段から引きずり下ろされた。私の足は血だらけだ……次女をぎゅっと抱きしめた。奇跡的に次女に怪我は無かった。ガラスドアの反対側にいた人々はただ見ていた。ドキュメンタリー映画。私は助けを呼ぶのにも体力が無かった。

また家には夫、私、子供達。台所には割れた食器、食べ物は床に落ちている。家はタバコだらけ。私の足は血だらけ。

ドアにチャイムが鳴る。三人の社会職員が来た。多分、幼稚園の事務員が呼んだ。足が血だらけの外国人、二人の小さな子供、厳しい夫、家の状態を見た。

「うちは全て大丈夫」と夫がきっぱり言った。「帰りなさい」

彼らは……帰った……

夫はタバコを一本、また一本と吸っていて、彼の希望で作ったピロシキでタバコを消していた。『ケシの実とピロシキ』まだまだプラス思考で夫の行動とピロシキの灰のことを考え続けていた。ピロシキ。そのような状態で私はまだピロシキを作っていた……『マーシャとクマさん』の民話だ……

その後、夫は押入れから全ての私の服を出して、床に降ろして、生ゴミを上に乗せて、叫びながら激しく足で踏みつけた。それから、冷蔵庫からケチャップとマヨネーズを出して、私の頭に付けた。それはどんな民話？

そんな民話は知らない。多分、何か現代的な民話？　いいえ、それは実話だ。この実話をどうやって耐える？

そのような状態で私と子供を車に乗せて、高速道路まで走った。森の中に入った。夜中。子供たちは何とか寝た。私は夫の後ろの席に座っている。寝ない。危ない。

「足を広く開いて」とモンスターの夫が命令した。

彼は私の両足の間に自分の座席を倒して、寝た。

夜中、森。子供達とモンスターの夫が寝ている。私は祈っている。

夜明け。モンスターの夫が起きた。座席を元に戻して、何も言わず、また車を走らせた。

…私たちは義母の別荘の前にいる。夫は彼女に子供達を渡して、私とまた高速道路でドライブ。

また森。また夜中。またモンスターの夫が私に足を開くように命令した。今回は目的が違ったけど……

私は死にかけている。

夫はまた知らない地域を車で走らせている。

突然、畑の中にあるビルに停まった。

……私はある部屋にいる、白い制服の人がいる。

私とは誰も話していない。全ての話はモンスターの夫とだ。何か書いている、印鑑を押している、署名をしている、モンスターの夫に渡している。突然、白い制服の四人の男性が私の手を掴んで、無理矢理どこかに連れて行った。重たい鉄のドアが閉められた。あるおばあちゃんが私の顔に叫んだ。

「ありがとう!? ありがとう!!? ありがとう!!!?」

「ありがとう」と小さな声で答えた。

廊下を歩いている。今回は私の後ろでドアが閉められた。周りの人々は去った。隣の部屋で誰かが壁を叩きながら、叫んでいる。

「それは全てお金! お金!! お金!!!」

私は壁と、床の布団と、角にあるトイレとしかない部屋に一人ぼっちでいる。胸を触ると、胸は石みたい。私はまだ次女に授乳していたが、突然、赤ちゃんを取られてしまって、母乳は胸に固まってしまった。

白い制服の二人の男性が入ってきた。私の手を後ろに捻って、何か注射をして、去った。私は寝てしまった
……

起きた。また目の前には白い制服の二人の男性。何も言わず、何かの薬と水を渡している。

「それは何のためにですか? 私の胸は石のように硬いです」

「胸が石のようにならないように」と一人の男性がそっけなく言った。

「それは薬ではなく、絞らないといけないです。でも、手でもう絞れません。私の子供はどこですか?」

「話せるの? いいことです。薬をどうぞ」

「それはどんな薬ですか?」

「飲みなさい。余計な質問はなし」

「飲む訳ないです。よく寝たい」と私はきっぱり答えた。

「この薬を飲むとよく眠ることができるし、恐怖心にも効果があります」

「もしも私に何か恐怖心があったら、それは薬で治せる問題ではないです。でも、石のような胸は本当に心配

です。私には搾乳機が必要です」

「先ず、この薬を飲みなさい」

「後で飲みます」

「あまり長く話す暇はありません」

彼らは私よりも強いということを見せつけた。私の口に薬を入れて、水を注いだ。

ドアが閉められた。床には布団。角にはトイレ。天上にはカメラがある。窓があるが、開けられないし、叩き割れない……

……お盆に乗せて食べ物を持ってきた。床に置いた。

その後、お盆を取りに来た。

また二人の男性の看護師……私はすぐ寝た。

次から毎日似たような日常だったが、違ったのはやっと搾乳機を持って来たことだった。私は相変わらず薬を拒否していた。

「もしあなたが自分で強迫観念なしで薬を飲めなかったら、この部屋から出られないと思います」と一人の男性看護師が冷たく言った。

氷のような冷たさで私は『自分の意志で』薬を飲むことになった。手に薬を持って、十字架をかけて、すぐ飲んだ。

こうして数日間が経った。どのぐらいか、はっきり分からなかった。

四つの壁。床には布団。角にはトイレ。天上にはカメラ。叩き割れない窓……持ち物は何もない、もう数日間か、もしかしたら数週間一人ぼっちでここにいる。このような状態で、どうすればいい？　ただ考えるだけ？

ただ希望に胸を膨ませるだけ？　ただ怒るだけ？　ただ落ち込むだけ？　ただ叫ぶだけ？　ただ足を踏み鳴ら

すだけ？　隣の患者と同じようにただドアを叩くだけ？　祈る……それ以外はとても歌いたかった……私はもう長い間歌っていないが、以前は歌うのが私の本質だった。自由に、心から歌う……やわらかくて、優しくて、あるいは強くて、感情がいっぱい。心が広がって狭くなるように……落ち着いている、子守唄のような歌い方……表情豊かに、グラスも壊れるくらいの強さで歌う……そこまで歌いたかった……でもその天上についているカメラのためにではなくて……そうだったら、歌わない方がいい……祈るだけ……頭の中で祈る……静かに、音もなく……

「他の部屋に移されます」突然に知らされた。

そうなった。

ベッドが六つ。一つが空いている。それは私のためだ。

「髪の毛はどうなっているの？」と隣の人が聞いた。「ブラシをどうぞ。髪をとかして」

誰かが私に話しかけた。人間らしく。注意深く。

「ありがとう」と答えて、髪をとかしはじめた。

「ここはいつから？」また聞かれた。

「分かりません」

「畑を耕したように、あなたはすごくくたびれているね。前は多分、美人だったんじゃない」

私は髪をとかしている。生き生きとした人間らしい会話が少し元気づけるようになった。話の内容？　まあ、そのような内容……

「前は隔離にいたの？　入院は何回目？」

「初めてです」

「私はもう五回目。親戚がいつもさせている」

「診断はなんですか？」

「元気すぎる！　でも、もうすぐ退院だよ。もう私はそのままだから。あなたは実験に参加したくないでしょう？」と突然聞かれた。

「どんな実験？！」

「まあ、医者は自分の論文も書いているから。薬も誰かに試さないと」

「研究者と話してもいいけど……」

昼食の時間。みんな食堂に行っている。

あるおばあちゃんが声をかけた。誰か分かった。入院させられた時、顔に「ありがとう、ありがとう、ありがとう！」と叫んだ人。はい、ありがとう。全てに感謝しないと、それは神の御心だから……

隔離にいた時より、今の方が日常はもっと早く進んでいった。患者には以前に日本では見つけられなかったものを見つけた。それは誠意と心の暖かさ……

「あなたは食事の前に祈っている。感じているよ」と若い女性が言った。

「祈っています」

私は聞こえないように祈っていた。

「あなたは英語が分かる？」

「はい」

「これは日本の男性が歌っている。英語でも歌っているんだけど、訳してくれる？」私にヘッドホンを渡した。

「いいよ！」

「彼も前に同じような病院に入院していた。今はすごいことを歌っている」

訳して聞いた、

「日本語のことを聞いていい？」

「いくらでも聞いてよ。会話帳に載っていない色んな表現を教えてあげるわ」

もう一人の若い女性が来た。

「どうしたの？　何でここにいるの？」私は聞いた。

「お父さんがヤクザ」

「分かる」

「私の電話番号を書いて。ここから出たら、電話して。あ！　担当医師が来た。今から始まる。『電話番号を教えちゃだめ！』でも、あなたには教えたいよ。待って。通りすぎるまで、待とう」

私は医者に近づいた。

「こんにちは。もしここに研究者がいたら、お話したいです」

「必要ない」

「私に処方している薬の説明書を頂いてもいいですか？」

「どんな目的で？」

「薬の効果を知りたいからです」

「薬の効果は友達に聞けばいいでしょう。もうここにいっぱいいるから」

医者は早く通りすぎた。

病院では私だけ外国人だった。ある日、クイズを考えた。『外国人に教えたい初めての日本語の言葉』アイディアはとても簡単だった。日本人も、外国人も、お互いに仲良くしたいので、挨拶と感謝の言葉以外、どんな言葉が必要なのか。

そこには思慮深い、頭がいい男性がいた。彼にもその質問した。

「考えておきます」

「後でまた聞きます」

数日間後、いつものように瞑想的に、彼は一つの単語しか言わなかった。

「自由」

自由……私の師匠が言っていた。「優先的なことを正しく配置すれば、全てはスムーズになる」

優先的なことは何？

患者は魂、心のつながり、人間らしさ、助け合い、同情、思いやり、生きる喜び、永遠について話していた
……日本ではそのようなことについて、ここだけで話せるのでしょうか？


「明日は退院です。朝に夫が迎えに来ます」と突然医者が言った。

そうだ、私には夫がいる。子供達もいる。子供達はいいこと。でも夫は何のためにいるの？　夫のことを思い出しただけで、全身が重たくなった。

「あなたの口座からお金を引き出すためにATMまで行くように許可をもらった」とモンスターの夫が口の中でぼそぼそ言った。

「なんで私の口座からなの？」驚いた。

「僕にはお金がない。自分で払わないと、退院できない」

五十万円を請求した。なぜその金額なのか、口論する意味がなかった。もうどんなことにも意味があまり見えなかったけど。

「お！　ふわふわパンみたい！」モンスターの夫が私の外見にコメントした。

私は本当に太った。なぜかまだ分からなかった。

薬と注射。それが体重の増加と、他の副作用の原因だった。私はいつも食べる、寝る、寝る、食べることしか望まなかった……

モンスターの夫はそのような私の状態で満足だったみたい。

「子供達を産んだ？　いいな、いいな。今はちょっとだけ動いたら、新しいママを見つけるよ。あなたのようなママは何のためなの？　貧乏くさい。僕はあなたにすごい書類を作った、もうあなたのことはどんな弁護士も聞く訳ないよ。代理母になりたくないの？　でも、出産はとても気持ちいいんじゃないの？　それだけが、男ができない唯一のことだ……」

私はもう離婚したくはなかった。子供達を失うのが怖かった。未亡人になりたかったけど……

夫に外出を禁止され続けた。彼はいつも私の行動をコントロールした。月に一回、偽りの担当医師のところに、いわゆる診察のために連れていかれた。

いつも二人で診察室に入った。待合室で待っている間、私は誰にも話しかけないように、夫はいつも隣にいた。診察の時は彼だけが医師と話したから、カルテには全て夫の言葉が記録されていた。

でも、いいこともあった。日曜日には夫が教会に連れて行ってくれた。なぜその時夫が教会に連れて行ったのか、長年経ってから分かった。それは日本の法律に従ってつけ加えられた、動かし難い離婚の原因で、配偶者の宗教的な活動だ。

無理矢理に毒薬を服用していたので、私の脳は醗酵した。脳は入院中と同じく、一つの波にしか向かっていなかった。寝る、食べる、食べる、寝る。

この波から脳が切り替えられたのが日曜日だけだ。夫が教会に連れて行く時。将来的に裁判所には私の宗教的な活動の証拠を残すために、教会で必ず「記念のために」写真を撮っていた。

教会でよく聞かれた。「夫とどんな言語で話していますか？」別にどんな言語でもいいよ……会話がないから……

たまにはやはり英語でやり取りしていたので、夫は家庭で日本語で話すのをきっぱり拒否していたから、長女が英語に拒否反応を示していた。どこかで英語を聞いたら、すぐ泣き出していた。

……私のお祈りが聞こえたのか、日本の親戚がちょっとの間キエフに行かせてくれた。体力も知識も得ることができた。薬についても、様々な違法行為に関しても、疑問点を調べることができた。

「夫との事件をストレートにしないと。あなたを聞くと、刑事責任ばっかり。弁護士と相談したことはありますか？　そうしないと、夫はあなたをもっと罠に追い込んでしまう。離婚も怖がらないで、そのせいで地獄に落ちる訳ではない。今のあなたの家庭の状態は『家族を守る』ではなくて、『生きている状態で葬式』という事情です。このような犠牲は神様には相応しくない」

ウクライナで私は正気に戻されが、実際には何かしらの重要な措置を取る体力がまだなかった。帰国したら、夫とまたいわゆる診察に行った。今回はやっと医師にちょっと意見を述べて、私の状態をよく診察してもらって、処方箋をやめるように頼んだ。

なぜか分からないが、その時から医師は私に対して、黙っている体として、もっと黙るように薬を入れないといけない体としてではなく、人間として扱うようになった。最初はもっと軽い薬を処方した。副作用である眠気、食欲旺盛、ぶっきらぼうな状態がなくなった。体重も減った。徐々に私の生活のエネルギーも戻ってきた。そして新しい奇跡！　医師が薬を出すのをやめた。でも、夫は私をいわゆる診察に連れ続けた。ある日、医師が言った。

「もうここに来なくてもいいですよ」

モンスターの夫は驚いた。突然、私は自由になった！

でも、プラス思考で私はかなり遠くに出掛けた。現状と事実をもっと現実的に評価すれば良かった。

母子センターでイベントが行われる。不思議なことに、夫は私がイベントに参加することを許可したが、担当者に送迎してもらわないといけなかった。イベントは子育ての話で、ある母親の発表はこうして終わった。

「老人は赤ちゃんと一緒だと言われている。しかし赤ちゃんには将来があるが、老人にはありません……」

おかしい発表だ。日本人は材料の測定後、生命の続きを信じないの？　多くの人は老化するのを怖がっているが。高齢というより、虚弱が怖い。それでもう誰にも必要とされない。でも、お祈りをしないと。祈って、永遠のために準備する。

降りかかったことについて考え込んで、私は永遠の準備を始めました。祈り、痛悔、聖体、祈り、痛悔、聖体。いつ神様の目の前に現れるか、誰が知っている？

私は正教と日本での正教の広がりの問題についてますます興味をもった。

正教はかなり遅く日本にやって来た。十九世紀の終わりだ。その前、十六世紀には日本人はカトリック教と出会った。本や論文では、その時期は一般的に「キリスト世紀」と呼ばれている。しかし、キリスト教には多くの宗教団体がある。正教はその時の急変とは関係ない。正教は十字軍を組織したり、土地を占領したり、政治的な侵略戦争もしなかった。ちょうど十六世紀の宗教的な立場の摩擦は二百年以上の日本の鎖国の原因になった。キリスト教に触れたヨーロッパや中国からの本、手稿が国内に入ることが禁止された。外から全く影響が持ち込まれないように、日本人が外国に行くことを禁止し、長く外国にいた日本人も日本に戻ることが禁止された。そのような全ての措置が日本に鎖国状態をもたらした。日本がオランダと中国との貿易を許可したが、それは長崎港だけに限られた。

しかし、十九世紀の半ばに外国から（ロシアとアメリカも含めて）様々な船が日本の港にやって来るようになった。そして、ついに一八五三年にアメリカ人の強迫で日本の門が開けられた。

正教はどうなった？

日本で正教を広めた主要人物は日本の大主教ニコライだった。彼は日本でロシア正教の任務を果たす指導者で、五十年以上の人生を日本で正教を広げることに捧げた。

しかし、一八六一年に日本に来て、すぐに宣教師の活動を始めることは全く不可能だった。その時期、日本ではキリスト教の布教は死刑として禁止されていた。

初めて正教を受けた日本人は仏教僧で、初めはニコライ神父を殺そうとしていた。

十九世紀の終わりから二十世紀の初めにかけての正教会の任務の成功は、カトリック教会とプロテスタント教会の任務に比べると、素晴らしかった。しかし、残念ながら、その時代以外、その後、正教会は広がらなかった。もちろん、一番大きな原因は一九一七年のロシア革命だった。

ある日、一九九〇年からモスクワで留学していた、現在でもモスクワに滞在している日本のピアニストである土田定克氏のインタビューを読んだ。彼はロシアに来た時、カトリックで、両親もカトリックだった。ある日、彼は尊敬する教授に聞いた。

「僕はカトリックで、あなたは正教ですが、多分、そんなに違いはないと思います」

教授はあまりないかもしれないが、実際にはあると謙遜して答えた。土田は違いが分かるように何かの本をお願いした。教授は短い金言を集めたアレクサンドル・エルチャニノフ集の本を渡した。土田は正教にもっと深い興味をもった。実際に僧侶になって、教会に仕えたかった……

私の人生の変動が自分の足跡を残したので、段々私もこの世界に興味がなくなっていった。

ある日、痛悔の時、言った。

「今日はもう痛悔することがないと考えました。失礼します」

「そうしたら、『神よ、私のお祈りと信念をもっと強くしてください』とつけ加えてもいい」と神父さんが言った。

正教と日本の歴史に興味があって、次の考えが出てきた。日本は火と刀なしで正教を国の宗教として受け入れるポテンシャルがある、世界で唯一の国だ。ある日、正教会の友達にその考えを言った。

「彼らにとって正教は何のためなの？　彼らにとってそれは面倒くさくないの？　全て贅沢だし！」と彼女は答えた。

「私は全く違うレベルについて話している」

「まあ、例えば、日本は今すぐ法令を出す。『本日から全国民は正教を受けるべし』世界は日本についてどう考えるのか？」

「どう考えればいい？　『それは日本』と言うでしょう」

ニコライ・セルブスキー神父様のお祈りが目に入った。

『強くて、素晴らしい民族、強い意志をもつ民族、生贄ができる民族。なぜそのような国民がひた隠しにされているの？

……日出ずる国には太陽はまだ昇っていない。ダマスカスに向かう時、一気にサーブルをパベールに変えた神様、永遠の聖なる力で日出ずる国を日出た国に変えてください。

神様、日本は我々の罪のせいでまだ洗礼を受けていないということを痛悔し、認めよう。偉大なクリスチャンの罪のせいで日本国民は神様の天国への扉が開けられない……』

偉大なクリスチャンの罪……

他の人の行動に誰も責任が取れない。全て自分から始めないといけない。それは昔の知恵だ。

お祈り、痛悔、聖体、お祈り、痛悔、聖体……

「人は持ちつ持たれつです」前にお母さんに悩んでいた。

「あなたは一人ではない。十字架がある！」お母さんが答えた。

はい、私には神様がいる。十字架がある。子供達がいる。子供達は霊性、お祈りの力、聖体の恩恵を特に微妙に感じている。ある日、四歳の娘が突然私に聞いたことを思い出した。

「ママ、聖人にはどうやってなれるの？」

子供には「私にお祈りしてほしい」という欲がない。子供に必要なのは純粋さと明るさ……

夫と私はいつも大変だった。彼は明るさには向かっていなかった。私は彼のために祈った。私たちをどうやって、誰を通じて静めてくれるのか、神様の方がよく知っている。私は『主よ、夫を通じて、あなたの命令を果たすようお助けください』とお祈りに加えた。

お祈り、痛悔、聖体、お祈り、痛悔、聖体……

『主、憐れめよ、主、憐れめよ、主、憐れめよ、主、憐れめよ。神よ、我罪人を憐み給え』

「痛悔は『主よ、お許しください』という意味で、聖体礼儀は『主よ、ありがとう』という意味だよ」と子供達に簡単に説明した。

お母さんは時々、祈りの本、アカフィスト、聖人の人生などの教会の本を送っていた。最近は特に痛悔と罪のリストについてだ。私はテキスト通りに痛悔を始めるようになった。お母さんがいつも教えていたのは、一つの罪を何回かに分けて痛悔した方がいい、ということだった。言い足りないことよりも、自分のことをもっと見下した方がいい。若いころの罪も、子供のころの罪も忘れない方がいい。自分の行動だけをきれいにするのではなくて、自分の考えもきれいにする。毎回、私はそういう風に痛悔した。

結局、神父さんが言った。

「僕の意見は、これらの痛悔するべき罪の長いリストの厚い本は、暇人が書いていると思います。実際にはそれも一つの悪魔の作戦です。主要な罪に集中して、根絶しないといけません。クレスチアンキンを読んだことがありますか？」

「はい」

「そうしたら、私の言っていることが分かると思います。論点を考えないといけません。主要な罪に集中して、それらと戦って、沢山いいことをする。このような罪のリスト、何と言えばいいのかな、そうするとみんな朝から晩まで痛悔するしかありません」

彼との話を手帳にメモしていた。突然、手帳から私の古い写真が落ちた。

「それはあなたですか？」と神父さんが聞いた。

「私です」

「そのように見えることを祝福します」

今は私の外面は薄汚いボード広告のようだった、もっとひどいかもしれない……

教会の檀家は私の夫に憧れて、言った。

「夫に洋服をちゃんとするように言っている？」

「家庭内の平和の方が大事です」

「何？」

「家庭内の平和の方が大事です」

「あ！　彼にタキシードを着せたら、素敵だね！」

でも彼はいつも破れているタバコ臭いジーンズとシワシワのTシャツを着ていた。

私たちのカップルはそのようなセレブだった。薄汚いボード広告とボサボサのタバコのキオスク……

私は痛悔の時にもう何も言うことはないと思った。次の痛悔の時、簡単に言った。

「罪を犯すのが怖いので、行動するのも怖い……」

私はもう怖がらずに永遠に行けると考えた。もう死ぬ時期なのか？　罪が重ならないように。いくら努力しても、いつも正しく生きることができない。でも、神様はこのような純粋さが必要なの？

私は家庭ではとても静かで素直になった。この世には混沌しか見られなかった。長年この現代の混沌にいる意味が見えなかった。この段階をできるだけ早く跳び越したかった。でも、自殺は考えたこともない。いいえ。自然にできるだけ早く次の世界に行きたかった。でも、それも憂鬱の一種かもしれない。そこまでこの世にいるのは興味がない……


心の中に新しい不安が出てきた。

「クリスチャンではなかったら、死後はどうなりますか？」と神父さんに聞いた。

「神様の世界に入ることができません」

「でも、日本人は全体として正しい生活を送っていて、クリスチャンではない彼らはどうなりますか？」

「聖書には、心と水で洗礼を受けない人は、神様の世界、いわゆる天国に入ることができない、と書いてあります」

「私は日本人のことをすごく心配しています。日本人は多くの面で正教の教えで人生を送っています。働き者で、遵法で、慎ましいです」

「甘い期待をもたない方がいいです。それは見た目が謙虚なだけです。プライドが高すぎます。言葉を言ってはいけません」

その神父さんはとても厳しくて、勇気のある話し方だった。ある日、何かとても重要なことを説明しながら、結論を出した。

「イエスは裁判中の時は黙っていたが、話すべきだった！」

最近は私と夫は短い日常的な表現でしかやり取りしなかった。例えば、『ご飯だよ』『おやすみ』そして突然夫が言った。

「食材はカードローンで買う、教会にはもう行かない。高すぎる」

今、日本で唯一やりたいこと、教会に行くことでさえ、贅沢になった。そうしたら、この国で何をするの？私は高速道路にも、ピカピカショーウインドにも、たくさんの食べ物と遊びにも、浅くてプリミティブな話にも興味がなかった。キエフに戻りたかった。ずっと前からそうしたかった。でも夫とそのような話ができない。逃げる？　逃げるだけでは神様は許さない。お母さんもそれは応援しないし。祈って、待つだけ？　その時点では、はい。祈って、待つ。祈りの最後は『私の希望ではなくて、神様の希望です……』と加える。

突然また。

「はははは！！　僕はあなたにすごい医療書類を作った！　もう医者も、弁護士も、あなたを人間として扱いはしない！　はははは！！　恩人だね！　ちょっと動いてしまったら、子供達も簡単に取られるよ。その他は何も分けるものがないね！　銀行口座には何か硬貨が残った？　まあ、あなたの貯金を安い弁護士に使えば？　天才的なやり方でしょう？　代理母！　昔の頭のよい美人！」

またうちの家庭に悪魔が近づいた。

「何か僕の手がかゆい。静かにしているの？　あなたの痣を簡単に説明する。精神障害者は自分で自分のことを叩き始めた。あなたに火傷も加えようかな？！」夫が熱いコーヒーを持って近づけて来た。

私はゆっくりと後ずさりした。床にゴキブリが走って、夫がカップの中身を注いだ。

「あなたも、ゴキブリのように？　ほら！　ない！　命は突然に終わった！　精神的な攻撃！　事故！」

私はゆっくり玄関のドアに移動した。モンスターの夫が突然前に飛び出して、玄関を塞いだ。私は二階のベランダにしか逃げることができなかった。そこへ走って、叫んだ。

「助けて！　助けて！」

隣人は無関心ではなかった。お花に水をやるように外に出た。夫がそれを見て、冷静になって、仕事部屋に去った。私は時間を無駄にしないように警察署に飛んでいった。

私と二人の警察官が話した。私は泣きながら、とても感情的に状況を説明した。彼らは本当に心配していた。それから、部屋に他の警察官が入ってきた。

「あ、その女性。良かった。夫が捜索願を出していた。後で彼に連絡する」

警察官と話している時、モンスターの夫が何回か携帯に電話した。

「出ないでください」と警察官が言った。

「私はもう何回も警察を呼んだことがありますが、夫が法律に詳しい人で、いつ、何を、誰に、言わないといけないか、よく知っている。だから、警察官はいつも夫の立場に立った。その理由で私は今まで警察官と相談したことがないです」

「なぜ離婚しなかったの？」

「離婚は難しいです」

「ビザの問題ですか？」

「いいえ、私は永住者です。宗教上の理由で離婚ができないです」

「今日あなたは家に帰らない方がいい。でも、避難所を準備するのが今夜は難しいです。もう遅いです。明日だけです。今夜どこか泊まるところはありますか？」

「電話しないと」

「電話して」

私はスラヴの友達に電話した。

「はい、泊まるところがあります」と警察官に言った。

「住所を教えてください。もしどこかに移動したら、教えてください。電話番号を教えます。今はあなたの夫に電話します。捜索願の根拠がないと言います。他の面から問題について話します」

警察官が隣の部屋に行った。その後、私も電話に呼んだ。

「夫があなたと話したがっている」

「はい」と英語で電話に答えた。

「帰ってきて。僕にはあなたが必要だ。新しい案件が入った。あなたの手伝いがいる」

「それはどんな話？　自分で内容が分かる?!　『すみません、ごめんなさい』そのような言葉が知らないの？　いつも家政婦しか必要ない？　それを遠慮なく言うの？　それはもう話題にはならないよ」

受話器を警察官に渡した。それで、彼が夫の感情を聞いた。

「奥さんが思い通りにいかないから、その反応になったの?!　それは彼女の権利だ！」と警察官が言い切った。

私は説明している。

「あるものを持っていかないといけないです。そのままどこにも行くのができません。警察官の手伝いが必要です。一人で家に帰るのが怖いです」

警察官は夫に電話で言う。

「彼女の洋服を取りに行きます」

私に言う。

「三十分後と言った。子供を実家に連れて行きます。子供と合わしたくないでしょう」

携帯に義母が電話した。

「答えて」と警察官が言った。「あなたは大丈夫と言って」

誰もいない家に戻ってきた。私はスーツケースの中に荷物をまとめた。いつまでどこにいるのか分からなかったから。警察官は駅まで送ってくれた。

夜中、私は何とか寝た。不安を感じたが、それ以上悪いことにはならないと思った。私は毅然とした歩みをするつもりだった、でもまだ離婚ではなくて、まずは別居だ。その形は日本で流行っている。多分、だからこそ離婚の統計を低く守ることができる。子供？　どうなるのかまだ分からない。ちょっとの間、日本の親戚といるでしょう。その時期が短くなるといいね。その間、ママに背向かないように祈る。

モンスターの夫はもう何度か携帯に電話した。出なかった。その後、義母が電話した。

「エバ、明雄があなたと話したがっている。電話に出てください。子供達は大丈夫よ」

夫は質問から始まった。

「エバ、ウクライナに住みたい？」

「はい」

「今日航空券を予約して……」


家の近所で隣人に会った。

「市役所に行きなさい。事情を教えて、助けるようにお願いしなさい。私達は全て見ている。あなたを手伝ってあげたいけど、自分の家族が心配」

「応援ありがとうございます。母国に戻ります」

日本で暮らした数年間は、日本の鎖国時代と同じように、私は自分の殻に閉じこもっていた。それによって、日本は自分の独特の文化を生み出した。私はそのような薄暗い人生の時期から何を得るのか……？


娘達とキエフに戻った。数ヶ月後に夫も来ると約束した。

「夫の悪口を言わないで！ それは中傷！ 罪！ 私の舌は私の敵！ あなたはクリスチャンの妻！ 夫の言うことを聞くべきだ！ 教会で挙げた結婚式だし、この世にあなたには他の相手がいない！」このような大喜びでお母さんが私を歓迎した。

「ママ、彼が三人目の子供が欲しいと言っている」

「希望しすぎ！ まあ、礼拝に行くわ」

理論と実行はお母さんにはあまり合わなかった。

「あなたにインターネットは必要ない！ そのような悪魔もいるの？ 私は携帯電話でさえ使わない。電磁波でゴキブリでさえ死ぬ。まあ、もう行くわ。夕方までに帰ってくる」

夫とスカイプでやり取りすると約束した。お母さんはインターネットに接続することを禁止した。妹にはラジオでさえ聴くことを禁止した。

「聴くと悪魔に栄養を与える」と言っていた。

まあ、厳しいお母さん……

長女はもう五歳、キエフ少年芸術学院の準備コースに入学した。そこでは私の教授も週何回か働いていた。次女は隣にある保育園に通った。

娘達の見た目は全く日本人に見えなかった。みんなは一緒に話さないかぎりウクライナ人だと思った。

学校でも保育園でも、教育はウクライナ語だった。その時、娘達はしっかりしたウクライナ語もロシア語もできなかったけど、最初の数週間は、目でパチパチして順調に必要な言葉が分かるようになった。

日本で保留した論文にも戻ってきた。でもお母さんは心配していた。

「何のためにあの論文？　自分のことを見て！」

「エブロギ神父さんと話した時、終わらせるようにと言った」

「あなたは風が吹くと倒れそう」

「彼の方が神のことを分かっている」

音楽大学では私は理解された。

「まあ、エバ、論文の基本的な文章はもう出来上がっています。後は結論と現在への方向性が残っています。今の段階で全ての論文の文章を上から見て、再考にしてください」と指導教授が言った。

委員長は女性同士として応援した。

「あなたはいつも派手でファッショナブルでした！　今は教室に入ってきても、あなただと分かりませんでした。全くやつれていました。自分に戻ってください！」

学校、保育園、論文以外にもう一つの日常的な問題は仕事を探すことだった。客観的に考えたら、私が得た教育なら日本大使館か文部省を目指すべきだった。繋がりもあったし。でも、私は突然平凡なものにさせられた。

「文部省？　そこで何をやるの？　二千グリブナをもらってペーパーを積み替えるの？！　日本大使館では実行者以外は何にもならない。そこは自分で何も決定することができない」

お母さんは自分らしく応援していた。

「聖書によると、女性は働く必要はない。子供の世話をしなさい。子供、子供！」

一方で、大好きな社会に出たかったけど、他方で、私の孤立した海外生活は自分の痕跡を残したので、将来のことの迷いはそのまま残っていた。この現在の世界は私には必要なの？　キエフには修道院がたくさん……

同級生のアリナは本当に驚いた。

「あなたは最大限に世界を回っている、今は修道院！　エバ、限界から限界まで飛ぶ必要はないんじゃない？！」私の酔いが覚めた。

故郷の土地が何とか早く私のイライラしていた心を落ち着かせた。ウクライナでの生活は全く違った。ある意味、長年日本で暮らした後、自分は将来からの訪問者に感じたが、ここの方が自然で、喜びの多い生活だった。

日本の難問について私は黙っていた。私にはもう関係ないことだったと推測した。

「日本のことが恋しい？」とよく聞かれた。

「いいえ。そこですごい訓練だった。誰にもお勧めできない」


お母さんは仕事に教会へ行く。教会ともっと親しくなるように、私の娘達、彼女の孫も、連れて行く。

昼間は娘達を迎えに来た。娘達は教会にいない。

「どこにいるの？」とお母さんに聞いた。

「外で遊んでいる。今日は天気がいい」

「二人だけで外にいるの？」

「いいえ。そこは乞食が見てくれている…」

外に出て、聞いている。

「エリザちゃん、エレナちゃん、門を出ないでね。そこでは車が走っている！」と責任を持って乞食が言った。

娘達は私のところへ走ってきて、私の手にキスする。

「エレナ、エリザ、目の前でそれをしない方がいい」

「ママのことが大好き！」と檀家が言った。

「ママの言うことを聞くし！」と他の檀家が加えた。

箱を持って神父さんが出てきた。箱に入れるように、娘達に硬貨を手渡した。

「ありがとう、いい子たちだね。お幸せに。大事なのはママのいうことを聞くことね」と神父さんが言った。

「あなたの娘達については誰も悪い言葉どころか、普通の言葉でさえ言えません。みんな憧れています、憧れています！」私の教授が言った。

娘達といるといつも面白かった。

ウクライナ民話の絵本を見ている。一つの絵にはウクライナのフェンスが描いてある。長女がコメントした。

「男の子。囲いに座っている」

次女が絵を見て、

「棒に」

「囲いに」長女が丁寧に直した。

「いいえ。棒に。男の子が棒に座って、りんごを食べている」

次女が自分の意見を持っていて、自分の目を信じている、ということが私は好きだった。だって、ウクライナの伝統的なフェンスをどう呼ぶ？　棒は棒で繋がっている。

「ママ、何でウクライナではウクライナ語であまり話さないの？」長女が聞いた。

「もう前に説明したけど、色んな歴史的経過」

「でも、ウクライナではウクライナ語で話さないと」

「話さないと」

エレナはお姉ちゃんとしていつも妹に色々分かりやすく説明していた。ある日ベランダに出て、カブトムシを見つけた。エリザが何かを聞いて、エレナの答えがちょっと聞こえた。

「もしカブトムシがいなかったら、誰もカブトムシって何か分からなくなる」

あるいは、

「ベニテングダケは何？」

「それは毒があるきのこ。もしベニテングダケを噛むか、舐めたら、死ぬ。見た目は…てんとう虫みたいな帽子、でも点は白い」

エリザの性格は生まれた頃から強かった。

ある日、義母が結論を言った。

「男の子を育てていると考えた方がいい」

ある朝、保育園に行く前にエリザに三つ編みをしている。彼女は独り言を言っている。

「今日はママがおかゆを食べちゃダメと言った、とイワノヴナに言おう」

イワノヴナは好きな先生だった。でも、おかゆはやはり好きじゃなかった…

エリザは私にまた何か複雑な問題を聞いている。私は答え始めた。

「私が思うのは……」

二歳の娘は私の答えに結論を出した。

「よく思っているよ、ママ」

寝る前、エリザの一番好きな質問は、

「ママ、いつ朝になるの？」だった。多分、彼女は寝るのがつまらなかった。

どこに行っても、普通の散歩でも、税務署でも、知らない人でさえエリザに色々なプレゼントを渡した。このような注目でエリザはすごく甘やかされた。そしてある日、エリザを私の教授に紹介した時、エリザは挨拶の代わりに聞いた。

「私に何かプレゼントがある?」

教授はユーモアがあって良かった。

娘達は遊んでいる、遊んでいる、エレナは私に近づいて聞いた。

「ママ、『神様への道』って本ある?」

「はい、あるよ。本棚に置いてあるよ」

「じゃあ『世界の国々』は?」

「それもあるよ」

エレナはまだ遊び続けた。

「ママ、悪とどうやって戦うの?」エレナが聞いた。

「戦う? 先ずは自分で悪をしないように生きるのが必要よ」

娘達はずっと二人で遊んでいた。私はちょっと出かけようとした。

「ママ! どこか行くの? 寂しくなる!」

「すぐ帰って来るよ」

本当に、ちょっとしか出かけられなかったけど、ママがいつもそばにいると安心だ。

……復活祭が近づいてきた。厳しい断食の時期だ。あるポスターには総主教の言葉が書いてある。『断食に一番大事なのはお互いに食べないようにすることだ』

明るいお祝いの日を待ちながら、復活祭のパンを焼いて、卵を染めた。エリザとエレナはたくさん児童文学の精神の本を読んだ。エリザに詩、物語、例え話というクリエイティブな悟りが出てきた。

「もし肉だけを食べたかったら、牛乳を飲んじゃダメ。夜中は全く食べちゃダメ。そうしないと、神様も『私も寝ることができる』と言われてしまう……」

では、明るい日、復活祭！お母さんは夕方から徹夜禱に行って、私は娘達と朝の聖体礼儀に行った。

「超美人！女優さんですか？」コンシェルジュは笑顔で挨拶した。

「いいえ！私たちはウクライナ人！！」と綺麗なウクライナの民族衣装を着た娘達が答えた。

正教会の檀家は深いお祈りをしている。一人の檀家は泣いている。

「私は神様にあまり何もしなかった。神様に時間がなかった。私は神様の目の前で何もメリットがない。どうやって祈るの？私のお祈りがずうずうしさにしか見えない」

それで泣いている。

私たちはウクライナにいて、とても良かった。ここで娘達は必要な人生の根幹をよく学ぶ、そしてそれからどんな国にいても迷わない。

エリザは保育園には自由なスケジュールで通っていた。

「明日はどうする？家にいる？保育園に行く？」

「家にいる。ちょっと考えることがある」

安心して、喜んで、自然とウクライナでの生活を送っていた。

寝る前は童話の時間。

「今日はどんな童話を聞きたい？」と聞いている。

「コロボク」

それは毎日、毎月のお願い。だから、好きな童話はよく変わった。

また次のコロボクについての話が始まる。

「ある日、おじいちゃんがおばあちゃんに言いました。『おばあちゃん、コロボクを焼いてくれる?』『おじいちゃん、まあ、焼きたいけど、まあ、何と言えばいい……』『何? また小麦粉がないの?』おじいちゃんが確かめた。『あなた、前と同じで、あちこち見たら、小麦粉がちょっと見つかるかも』おばあちゃんが前と同じく、あちこち見て、生地を作って、コロボクを焼いて、冷やすように窓に置いた。コロボクは横になって考えている。『まあ、ね。今はまた冷やしてから、どうなるか分かっている』コロボクは逃げないと。玄関におじいちゃんがいて、コロボクを守ろうとして、タバコを吸っている。コロボクはどうやって逃げるの?」と娘達に聞いた。

「おばあちゃんはどこ?」すぐ娘達が聞いている。

「おばあちゃんは家の後ろの畑で草取りしている。早く歩いたり、走ることができない」問題をちょっとやさしくした。

「窓はどこ?」

「窓は玄関の隣。コロボクが飛んだら、おじいちゃんがすぐ見つけて、つかまえる。家のドアがきしむ」

「まあ、そうしたら、おじいちゃんはタバコを吸い終わって、家のドアに行ったら、ドアがきしみ始めて、コロボクはすぐ逃げる」

「はい、そうだったよ。ドアがきしんだ瞬間、コロボクは早く門から出た。ゴロゴロ、ゴロゴロ転がった。どのぐらい転がったのか、誰にも分からない。危険性がないと感じて、止まって一息ついた。その後もう普通に転がった。『まあ、またうさぎ、おおかみ、くま、きつねに会うのね。またみんなに歌を歌わないと。大事なのはきつねとあまり自慢しないように』ほら! 代わりにカラスに会った!『あなたは何? チーズ?』とカラスが聞いた。『カラス、頭の痛みを作らないでください』とコロボクが答えた。『私は頭以外なにもないし。あなたはしっぽも、足も、くちばしもある！』『はい』同情してカラスが言った」

そういうふうにコロボクのオリジナル民話が続いた。私たちのスマートな、経験のある、知恵のあるコロボクはみんなと適当に問題を消した。

「それでコロボクはゴロゴロ転がって、また考えた。『僕はみんなから逃げた。それで？　どこへ転がっている？何のために転がっている？　自分の人生どうすればいい？』でも、哲学的に考え始める前に、芝生に転がった。そこはもう他の三個のコロボクが輪舞している」

子供達は民話を通じて、色々勉強している。同じ民話が長い間好きで、それで何回も同じ民話を読まないといけない。私の一番好きな民話は『兵士と女王様』だった。怒りっぽい女王と普通の兵士、女王様と同じ外面で靴屋の妻と、女王と靴屋の妻が取り替えられる愚か者についての話だ。公正についての民話だ。お母さんはこの民話をいつも、いつも読んでくれていた。私はいつも、いつも、何か新しいことを勉強していた。

民話を通じて、子供に色んなことが説明できる。日本の公園で女の子達がエレナをいじめていた時『あなたは綺麗じゃない』と言われ、娘を落ち着かせるために親指姫の昔話を思い出していた。

「覚えている、親指姫をコフキコガネが連れて行った時、他のコフキコガネが、『あ！ウエストが細すぎる！口ひげでさえない！　ブサイク！』と言った。でも親指姫は実はとても綺麗だったが、コフキコガネとは全く違った。あなたも綺麗だよ…」

昔話には大きな知恵も、大きな力もある。

でも、アニメには私の娘達は結構批評的だった。日本のアニメは全く見なかった。ディズニーの『シンデレラ』を批評した。

「このシンデレラはプライドが高すぎる、王様の言うことでさえ聞かない！」

でも、例えば、小学校一年生の国語のテキストにも載っている『大きなかぶ』は娘達が複数の言語で読んだ。ウクライナ語、ロシア語、日本語、英語だ。

月日がどんどん進んだ。夫は最初の月はたまに連絡していたが、それから突然に途絶えた。私の手紙や電話を無視した。子供達はパパからの連絡を待っていて、パパをキエフで待っていた。

「彼はあなたを棄てたんだ！　子供も棄てたんだ！　何しているの？！　あんな素敵な子供達なのに！」お父さんが心配していた。

お父さんは正しかった。明雄は私たちを棄てた。私は義母と電話で話してみた。明雄は相変わらず元気だったが、私たちと連絡を取るのを面倒くさがっていた。義母は、何もお力になれないと言った。

娘達に日本的な方法で状況を説明してみた。

「パパはとても忙しく、働いているから、電話ができないんだよ」

「おもちゃはいらないし、何も買わなくていいから、早く来るようにパパに言ってね！」長女が答えた。

出発前に夫の言い分はまた嘘だったのが、驚かなかったけど、娘達と連絡を取らなくなったことはやはりショックだった。

結婚前の夫とのメールのやり取りに目を通した。毎日いくつかの長いメールをもらっていた。愛も、優しさも、柔らかさも、行ごとにいっぱい書いてある。そこから深い溝ができるなんて！

一番簡単な解決法はやはり離婚だった。でも、私は離婚を罪と同じく怖がった。神様が結びつけたことを人間が離してしまうなんてダメ。また神父さんと相談した。

「お母さんと離婚について話を始めるだけで、彼女はいつも『お祈りと聖体、お祈りと聖体。そうしないと地獄に落ちる』と答える」

「それだけでは地獄に落ちることはない！」神父さんが慰めた。

危機。色んな言語でその言葉には様々な意味がある。私にとって一番相応しい説明だったのは「危機は新しいスタートのチャンス」。行き詰まってから新しい道のスタート。

…似たような状況にブルガリアの友達がいた。彼女は日本人の夫とブルガリアに引っ越しした。彼女は自分の日本での生活について手短に言った。「冷蔵庫に住んでいたみたい」私は彼女に手紙を書いた。『あなたと相談したいけど……』そして、自分の状況を言った。

彼女はすぐ返事をくれた。『私の夫も前は同じような行動だった。彼は私が日本で生活をできなかったから罰したかったみたい。子供達に対しては無情だった。離婚で脅迫した。それであんな緊迫した関係の数ヵ月後、私のお父さんが急死した……だから、一番大切なのは冷静になること。そうして、あなたの両親の生活も、あなたの子供の生活も依存する。どんな相談をしたらいいのか分からない。私は長年、子供のために愛情なしに、我慢ばっかりで生活していた。今はそれが神様に相応しくない犠牲だったとロシアの知識人が私に言った。子供もすごくエゴイストになった。夫は私のことを尊重しなかったし、子供も彼の真似をしていた。結局、私たちは離婚した』

冷静に、ある意味で距離を持って、夫と最後のメールのやり取りを読み返した。以前、彼の手紙を読んでいた時は、全身がぶるぶる震えていた。今は震えていない。もう冷静な状態に近い。夫は「Please, expect the unexpected」[3]と書いていた。それが最後のメールのやり取りだった。

私の返事は簡単だった。『全てに感謝している』それから長い間休止……

私にはプロの心理学者の相談が必要だった。マリアのことを思い出した。彼女と連絡しないと！

数日後喫茶店で会った。

「まだ心理的な合気道の主要なスローガンを理解してないの？」マリアが聞いた。「先ずは道を譲って、それから彼の作戦で勝つ！　まあ、私が考えたんだけど…今日は『科学と生活』という雑誌で日本人の考え方とか、生活スタイルについて読んだ。記事によると、日本人は朝から晩まで働いて、隠し立てしていて、急いで定食やファーストフードを食べたりして、節約している。統計によると、ほとんどの妻が家計を隠している。多分、あなたの夫もそれを考えて、このような日本のプレッシャーに入りたくないのでしょう。多分、彼と話し始める時は、先ず、彼を理解するふりをして…私たちのスローガンは『先ず同意して、理解して、褒めて、それから、それに対してもっと広く違う方面から見よう』本当に全てが円として回っている！　あなたも自分のことを理解して、自分で分かって、実際に何をしたいか、たくさんお金を得たいとか、優秀になりたいとか、家事と子育てなどから逃げたいとか、自己肯定をしたいとか。神様は仕えるようにみんなに才能と役目と自分の道を与えているということを忘れないで」波を浴びせるように、鳥のように色々鳴いたりしてくれた。

座って、笑顔で考えている。笑顔はすごくいいね。ただ考えるのはいいけど、笑顔で考える方が有意義だ。

夫は電話に出なかった、メールもブロックされた。どんな扉にノックして良かったの？　もし山がムハンマドのところに来ないなら、ムハンマドが山に行くでしょう？　いくら日本に行きたくなくても、日本に行くしかなかった。そのためにもしっかり準備しないといけなかった。プロの法律相談も必要だ。ウクライナにいて良かった。色々なプロの相談を友達に聞けるからだ。事務所的な素っ気なさと違って（そこは専門家にとってあなたのことに実際は興味がない）、そのような相談は宝のようなものだ。

小学校からの同級生のアデライダは、自分の人生には自信に満ちた歩みで歩いていた。彼女の歩き方だけで、彼女の自信が伝わっていた。

「先ず、法的に夫と養育費などの問題を解決しないと。それから、事情によって他のことについて話した方がいいかどうか決める。もちろん、色々なことがあなたをイライラさせるけど、日本の弁護士と冷静な状態を守ってください。イライラしないで、あなたの神経は自分には必要。その問題はあまり好きではない仕事として扱ってください。弁護士と話す時は、夫は子供ともう長い間電話でさえ連絡を取っていなくて、養育費も送っていない、ということを言ってください。それはあなたにはプラスだ。夫には子供についていつも話して、いつも書いてください。子供は人形でもないし、おもちゃでもない、生きている人間だ。娘達をいじめてはいけない。子供はパパのことが大好きで、何の罪もない、子供は自分の自尊心の人質ではないことを言ってください」

こうして、私はウクライナで力を付けて、よりいい方法に向かって、問題を解決するために離婚は最終手段として考えた。日本への旅に向けて準備していた。母は許可を出さなかった。彼女は私のことをすごく心配した。でも、教会で神父さんと一緒にお祈りして、神父さんがはなむけの言葉を述べた後、母の許可が下りた。

友達に会うために日本大使館へ寄った。

「行かないで！　政府部から一人辞めます！　あなたのことを推薦します」

「ありがとう。私は政治のことは何も分かりません。文化部の方がいい…」

何とか支えてもらえる知り合いの日本人と連絡を取った。日本では法的な段階から始めるべきだった。夫は法学部の卒業生。夫は私を外国人としても、誰も聞かないといつも脅迫した。彼は法的な知識があって、誰に何を言えばいいのか、よく知っている。

何とか夫の考えを私たちの方に仕向けるために、義母を通じて、日本に行くと報告した。夫が驚いて、メールを送ってくれた。どこまで彼の生活が難しい、猫に手を借りたいぐらい、でも私と日本で会うのは嬉しいという内容だ。自己正当化のメールだ。どんな反応をすれば良かったのか？　夫は法的に自己正当化しようとしただけだ。それだけ。

飛行機がまた成田空港に到着した。私はまた日本だ。

初日から必要な歩みをしっかり考えるべきだった。

「もしずっとホテルに泊まったら、日本では無職で、それがあなたの弱点になる。そのようなお母さんがどうやって子供の世話ができるの？　先ず必要なものは住民票と仕事。それから他のことだ」日本の女性の友達が相談した。

古くからの友達と会った。三人の日本の男性。

「エバは教育関係の仕事をした方がいいと思う。僕は一つの語学学校に話をつけよう。そこは旧ソ連の学生が多いし、エバは基礎の日本語を教える。全く日本語が分からない留学生には情報が多すぎて、ショックを受けている。エバは分かりやすく説明する。このような仕事は彼女にとっても結構クリエイティブなオプションだ。朝から晩まで事務所にいるのは相応しくない」と一人が言った。「個人的な生活が落ち着いたら、新しい段階に行ってもいい」

「彼女の履歴書で色んな分野で働くのが可能だね」と二人目の男性がコメントした。

「見せて。派手すぎ！　半分消しなさい！」

三人目が言った。

そして、私は日本の語学学校で働き始めた…日本語教師として。

キエフに電話した。

「あなたがいないからエレナが『ママ、ママ』と泣いている。『なぜ泣いているの？　泣いたら、何か変わるの？』と聞いたら、彼女は考えて、泣きやんだ」とお母さんが電話で言った。

私は子供がいなくてゆっくり寝るのができなかったけど、後どのぐらい子供と離れて過ごさないといけないのか？

夫は心配しているふりをして、沢山の優しいメールを送ってきた。私はそれを用心深く受け取った。自分の住所も教えなかった。

ある日、ある事務所を探している時に、ちょっと迷っていて、交番に道を聞こうとした。普通はすぐに行き方を教えてもらうけど、突然、交番の警察官が外国人登録証を見せるように頼んだ。私は見せた。それから、座って、待つように言われた。外国人登録証は返されなかった。

ちょっとしたら、警察の車が来た。私は車に乗せられた。すぐ他の警察署に連れて行かれた。また座らされて、待つように言われた。どのぐらい時間が経ったのか分からない。それから、義母が見えた。

「捜索願は終了です」と警察官が報告した。

また車に乗せられた。両側はしっかりした体の日本人が座っていた。そのような状況で抵抗するのはひどくなるだけだということが分かっていたので、静かに従った。ある建物に連れて行かれた。病院みたい。ガードマンは私を廊下に連れてきて、私の手を持って、椅子に座らせた。義母はある扉の向こう側にいた。二人のガードマンは黙って、私と廊下に座っていた。義母が戻って来た。

突然、ベッドに横にされて、私の手足を結んだ。義母は優しく私の頭を撫でて、私の耳元でがみがみ言った。

「まだ分からないの?! 日本にいたら、病院で死ぬよ」

私は暗い隔離に入れさせられて、また何も説明されず、結ばれたまま、一人で残された。ちょっとしたら、看護師が入ってきて、黙って点滴を付けた。

私は彼女と会話しようとした。

「なぜ私はここにいるの?」

「ここが一番安全だから」と彼女は言った。

「警察の方が安全! 私はお腹がすいた!」

「食べ物は点滴から入ります」

「私は普通に食べたい、普通の人間として!」

黙っている。

「点滴から食べ物だけが入る、他のものは？」

黙っている。

「点滴にはどんな薬が入っているか、教えてくれますか？」

黙っている。

「お手洗いに行きたい」

黙っている。

「いつものようにお手洗いに行ったらダメですか？　私は人間です。人体ロボットではありません！」

黙っている。

それで私は手足を結ばれたまま、点滴をされたまま、横になっていた。隔離に時々看護師が入ってきた。点滴の何かを変えて、静かに出て行った。私は深く眠ってしまった……

車の中で目を覚ますと、手足を結ばれたままベッドに乗せられている。隣は二人の男性看護師。私たちは長い間どこかに行っている。怖い。死にたくない……生きる力を感じるために、歌い出した。

お姉ちゃんたちが歩いていた、
庭へ花を摘むために歩いていた……

……孤児が、孤児が溺死した……

残念ではない、残念じゃない、孤児のことは、
残念なのは、残念なのは彼女のシャツだ、
イバネ、イバネ、う！

看護師は全く反応しない。どこかに着いた。私を車から運び出した。隣に独り善がりの義母が見えた。

……また私は個室だ。今回は明るいけれど、また私は手足が結ばれたまま、一人で残された。

それで、何も言われずに、何も説明されずに、また点滴を付けられた。私はまもなく深く眠った。

目が覚めた。時々看護師が入ってくる。私は彼らと会話を始めようとしない。無理だと分かっている。

手帳を持った医師が部屋に入ってきて、私の隣に座った。

「名前は?」

「エバ」

「生年月日は?」

答えた。

「体調はどうですか?」

「分かりません」

「日本で何をしていますか?」

「語学学校で日本語を教えています」その内容はここでどのように響いているか自分で理解しながら、言った。

医師は理解している精神科の目で私を見た。その日は私と話を続けられなかった。私は体を結ばれたまま横になっていた。

また手帳を持って同じ医師が入って来た。また話。前の病院での自分の経験を思い出しながら、私は答え方を気を付けようとした。実際に私の本当の考えと気持ちは誰も興味がないでしょう。

「あなたは日本語が上手ですね」と医師が言った。「どうなさいましたか?」

「私は今どこにいますか?」質問に質問で答えた。

「病院です」

「どんな病院？　どんな科？」

「神経科です」

「どのぐらいここにいないといけないですか？」

「全く何も考えないような状態になるまでです」

「もう病院外ではそのような状態になったことがあります。一番最悪な状態……」

不思議なことに、医師は私と会話をしようとした。彼の目は冷たいものではなく、好意的なものだった。

「明日、他の部屋に移動します」と突然彼が言って、出て行った。

看護師が来た。私の手足が自由になった。動きにくい。四肢が痺れた。

新しい個室はとても便利だった。小さなホテルのシングル・ルームみたい。文具も、デスクもあった。一方で、そのような部屋ではリラックスができるけど、気になることもあった。何でそんなに光栄なのでしょうか？

看護師が入ってきて、朝食、昼食、夕食を持って来て、何か優しく聞いた。

実際に私はどこにいるの？　なぜスタッフはそんなに優しいの？　どうやってそれを受け入れるの？

次の日は食堂で食べる許可を得た。その病院の患者は前の病院とかなり違っていた。落ち込んでいなかった。

私の目の前に、インテリ風の年上の男性が座っていた。私は突然彼に質問した。

「もし世界中の国旗を見たら、日本とウクライナの国旗が一番自然です。そういう風に考えてもいいですか？」

いいと言った。隣に座っていた女性がニコニコした。看護師が聞いた。

「何でニコニコしているの？」

彼女は看護師に答えなかった。

翌日、私は日中にも自由に部屋から出られるように許可をもらった。

「医師がここは神経科と言ったが、病院の看板には内科と書かれている。実際にはどうなんですか？」と私は聞いた。

「あなたは今どこにいるか自分でしっかり理解しないと。ここは精神科です」と患者はきっぱり答えた。「多分、あなたはみんな地獄にいると言うの？」

「いいえ。ここは地球です」

「それはいい。多くの人は、それを地獄だと思っている」

私は食堂で知り合った患者とよく話した。毎日長い間話をした。ある日、世界地図に仏教の国を丸で囲んで、お祈りについて話を始めた。

「残りの国は？」と私は聞いた。

日本人の女性が口ごもった。

「はい」休止の後、男性が言った。「残りの国も入れないと」

お祈りの内容について考えた。『そうしたら、どうやって祈るの？　なぜ違う宗教の信者と祈るのがだめなの？　なぜ正教にはそのような孤立的なポリシーがあるの？』と私は考えた。

「聖書は分厚すぎて、最後までは読めない」と日本人の女性が言った。「子供向けの聖書を読もう」

「子供用は少ないと思う。大人の聖書も読んでください。全て読まなくてもいい。マルコの福音書と啓示から読み始めてください」

私は違う宗教の信者と祈りたくて、どうやってそれをやればいいのかを考えていた……

不思議なこと、医師は相変わらず私に注目していた。彼は私の心をつかむことができた。私たちの話は長くて面白かった。

「聞いてもいいですか。なぜ日本は一番自殺が多い国なのですか？」ある日私は聞いた。

医師は視線をそらした。

「それは地獄への真っ直ぐな道です」私は続けた。

「日本の文化には……」

「それは地獄。人生がいくら大変でも、最後まで歩まないといけないです」

医師は黙った。

「こちらの科には高学歴で、人生に成功した人が多いです。以前は精神科の患者は運命で傷付けられた人ばかりだと思っていました」

「それは違います。人々は体力的、メンタル的、精神的なプレッシャーとアンバランスで倒れています」

「政治家もここに入ることがありますか？」

「はい、政治家も」

「彼らはその後も高い政治のレベルで働けますか？」

「働けます。そして今も働いています」

夫のことや結婚生活についてもたくさん話した。

この病院には患者のための色々なコースやトレーニングがあった。希望があれば、何でも参加ができる。毎日午前中にも、午後にも何かが行われていた。

医師と患者との話、色んなコースとトレーニングへの参加、ミニ図書館へ行くこと、これら全てはインテンシヴ方式の勉強に似ていて、私にはとても役立った。

私はここでは唯一の外国人だったが、ある朝、食堂にもう一人、金髪の女性が入ってきた。見た目はすごく自信のある人。ルーマニア人だった。そして仲良くなった。彼女に新しい日本の友達を紹介した。

「彼らは教会と修道院を見にヨーロッパへ行きたい」と彼女に言った。

「もし本当に教会と修道院に興味があれば、ルーマニアにいる時に、私の実家に泊まってもいい。家は広い。もし私たちの女性をねらおうとするなら、このディックバーガーをつまみ出して！」

彼女はいつもイヤホンを付けて、アルタナティブ・ロックを聴いていた。でもいつも聖書も持っていた。

「あなたは詩編九十番を読んだことがある？」と彼女に聞いた。「この詩編は誘惑にかかった時に一番強く、よく効くと言われている」

「ちょっと聖書で確認する。それはいい詩編だけど、ここには、人生が終わると書いてある」

「教会スラヴ語にはそのような意味はない。別のことを聞いてもいい？　あなたは処女で結婚することを夢見ていた？」

「いいえ」彼女は冷静に答えた。

私は知り合いに本を送ってもらうように許可された。それで聖書、アカフィスト『神様に全て感謝』、祈祷書とアントニー・スロジュスキーの本を送ってもらった。

それから、好きな引用文を選んで手帳に書いた。特に養育についてだ。『クリスチャンに成長する前に、人は先ず人間性を育てなければならない……だから、子供に誠意、献身、勇気を教えないといけない。そのような性格面は本格的な人間を育てる。もちろん、思いやりも愛情も育てるべきことだ。信仰について話す時は、生きている神様のことを教えないといけない。生きている信仰、現実的な神様。ただの規則、公式の知識、ただの歴史などを教えるのではなくて、イエス・ハリストスがこの世に持ってきた愛情を教えないといけない……全ての才能は神様からだ。その才能をどう使うのかは自分次第だ……子供に見せないといけないことは、全ての世界は神様が作ったことだ。信者に対して、神様は開いている本であるということだ。信仰と正教会の教えなどは私たちの周りにある世界、つまり文学、芸術、科学に対置するどころか、子供にその中に神様の秘密がはるかに深くて広く現れるということを見せないといけない。人間はできる限り全面的に成長しないといけない。知恵、心、全面的に豊かな人柄にならないといけない。クリスチャンだけになるためにはそこまでやる必要はないが、この世にクリスチャンとして貢献するためには、必ず必要だ……』

病院のミニ図書館には正教の修道院についての本があった。その本を新しい知り合いと一緒に読んだ。

ある日、隣に年配の患者が座った。

「僕の妻は今何をしているのかをよく分かっている。彼女は今、寿司パーティーだね！」彼が愚痴った。

「どうなさいましたか？　なぜここにいるのですか？」

「僕は分かりません。医師に聞いても、分からないと言っています。でも僕の妻が今何をしているのかよく分かっている！　彼女は寿司パーティー！　彼女に毎月七十万円の生活費を渡している。彼女がどうやってあのお金を使っているのか聞かないし。彼女は『もっと出しなさい！』と言うんだ。うちは子供もいない！　そのお金を何に使う？　僕は今ここにいる。私のいないクリニックはなんとかやっている（彼は歯科のクリニックの院長だった）が、彼女は寿司パーティー！！！」

突然、私は来週には退院という報告をもらった。

「何であなたはそんなに早く退院ができるのに、僕はできないの？」歯科のクリニックの院長が聞いた。

「私はお祈りしているからです。あなたも祈って」

「僕が?!」私の助言に驚いた。

それで担当医師は私に退院書を渡した。

「私の診断は何ですか？」と聞いた。

「診断は書いていないです。お幸せに」

退院の際に夫と義母が来た。車の中には私と夫の二つのスーツケースがある。すぐに空港に向かっている。

「日本には来るな！　もし見かけたら、病院で死ぬ！」義母が言った。

翌日、夫と私はもうウクライナに着いた。

第三章

道を踏み外した人のお帰り

「夫の悪口を言わないで！　それは中傷！　罪！　私の舌は私の敵！　あなたはクリスチャンの妻！　夫のことを聞くべきだ！　教会で挙げた結婚式だし、この世に他の相手はいない！」大体前と同じようにお母さんが私を歓迎した。

でも私の夫には優しくもてなした。

「お帰り、お帰り、座ってね、すぐご飯を食べよう」

「今の時代はね」お母さんはまた私の方を向いた「修道院の尼さんでさえ、夫に言われたことは全てその通りにしないいと、と言っているよ。花を根の上に植えないといけないと言われても！」

私の両親は夫のことをクリスチャンとして歓迎した。悪いことは何も思い出さず、ウクライナのホスピタリティーを見せていた。みんなで暮らしていた。

娘達は昔のことで悩んでいた。

「ママ、あなたがいなかった時、私たちは泣きっぱなしだった、泣きっぱなし！」

「でも、私は少ししかいなかったよ」

娘達は賛成してハグした。

夫は私と距離を置いていた。相変わらず、耳栓、パソコン、コーヒー、タバコだ。夫と会話はほとんどなかった。

お母さんは毎日それを見て、何とかしようと思って、相談した。

「こんな風に言って見て、『あなたはいいホストだね！』って。彼は少し考えて、もっといいホストになりたくなると思う」

まあ、『host』はとても綺麗で、容量の大きい言葉。夫にはどうやって言うの？　日本語にはその通りの意味の言葉はない。英語の外来語があるけど、日本には『ホスト』という言葉にすごいニュアンスが入っていて、いじめのように聞こえる。

「明雄、『host』の一番近い和訳は何？」遠くからお母さんの話題を始めようとした。

「分からない」

「まあ、そのままの和訳はないかも、あなたの考えで一番近いのは何？」

「ちょっと考えないと」

タバコを吸いに行った。

ウクライナに着いたら、夫はみんなを上から見ていた。

「みんなに生活方法を教えるよ！　ウクライナは世界で一番汚職が多い国だ。そして破産の国！」

私のアラブ人の友達もそれについてとても憤慨したけど、ちょっとしたら、落ち着いた。

「でも、ここではみんな助け合っている。そうしないとどうなる？！　みんな子供もいる。給料だけでどうやって生活するの？」

夫もかなり早くリラックスした。

「ここはとても面白くて、楽しい。アニメみたい。僕はチェブラシカとして感じている」

「そうね、表情を緩めているね」知り合いがコメントした。

夫とミニバスに乗った。若い女性が思わずハイヒールで年上の女性の足を踏んだ。

「すみません」若い女性が謝った。

「許さない」年上の女性が愚痴った。

「では、どうすればいいですか？」若い女性が聞いた。

「首つりにする」年上の女性が感情的に提案した。

「いや、それは一緒じゃないとダメ…」

「どんな話？」夫が私に聞いた。

「天気について」冷静に答えた。

「何でそんなに感情的なの？」

「今の季節にはよくある話題」

夫はウクライナ語もロシア語も分からなくて良かった。そうじゃないと毎日二十四時間、説明のないことを説明するしかなかった。

メガネ屋に入った。店員は携帯で話している。彼女以外の店員はいない。彼女は携帯で話しながら、店を回って、メガネを綺麗に並べている。少し携帯の話が聞こえる。

「リダちゃん、相変わらず、相変わらず。喧嘩したり、キスしたり。キスしたり、喧嘩したり。まあ、リダちゃん、パズルを始めないで！　いつも頭が痛い！」

夫はそれを見て、驚いている目だったが、今回は何も質問しなかった。

みんなそれぞれに異国情緒の感じ方がある。ウクライナに引っ越して、食べ物で日本人に対しての異国情緒が始まった。ソバ、ファリナ、大麦、ビーツ、缶のグリンピース、ウクライナのパン、ボロディン・パン、農家の牛乳、卵、カッテージチーズ、鶏肉、豚肉など……

毎週日曜日は家族全員で近所の教会に通っていた。私はもっとも自分の複雑な結婚生活について悲しんでいた。日本人と離婚したスラヴ人のように、秘密的に正教の旦那について考えた。もしも、最初から……そのような旦那とは全く問題にならないでしょう……

無意味な夢で時間が無駄にならないように、すぐに神様は『映画の編集』をしてくださった。聖体礼儀の後、娘達と公園に行った。娘達は遊んでいる。私は教会の図書館で子育てについていくつかの本を借りて、読んでいる。隣に若いお父さんが座った。彼も娘と聖体礼儀にいた。本を見て欲しくて、私は一冊渡した。彼は一つ、一つ、愚痴をこぼした。妻は彼のことが分からない。一緒に教会にも通っていないし、子育てに関しては彼の考えに賛成していない。私は女の子を見た。ズボンを履いて、頭巾を被っていない現代っ子。彼は続ける。

「教会のスラヴ語の詩編を説明するのができますか?」

「まあ、よく知っている詩編だけなら」

「それはどんな詩編ですか」

「第五十番と第九十番です」

「でも、僧侶は……」それでどんな僧侶でも全ての詩編を説明できるということについて、長く、有益なわめきが始まった。

そして彼の独り言は別の方向に変わって、憤慨して終わった。

「ユダヤ人！　イエスを十字架にはりつけた！」

「みんなは人間。みんなは救済に値する」私は手短に答えた。「すみません。それ以上、話を続ける機会がない。子供にご飯を食べさせないといけないです」

「機会か希望?」

「そうは言ってません。神様のご加護がありますように」

そして早く帰った。まあ、それはいわゆる正教の夫。自分の妻にも同じように説教すると、それもガミガミだ。

でもウクライナで私はまた自然な現実の流れに戻った。日本からなかなか逃げられなかったけど。みんな日本についてばっかり聞いて、相手も先ずは日本について話した。

「友達は日本に留学して、一年間勉強した後、日本語を放置した。日本について全く思い出したがらない！ぶるぶる震えている！」

『まあ、誰か私以上の経験があったの?　同情します』と考えた。

「大学の部門長は？　日本の大学で二十年ぐらいロシア語を教えていた。今は日本に留学に行く学生に心から注意させている。『日本人と結婚しちゃダメ。幸せなカップルは全くいない！』

全く逃げられない質問だったのが、

「何で日本からウクライナに引っ越したの？」

夫はどこでも外国人を見かけたら、いつも同じような質問をした。

「何でウクライナに住んでいるの？」

答えは相変わらずだった。

「ここは女性が綺麗だから」

ウクライナは美人が一番多い国だ。夫はその統計を知っていた。キエフに暮らしていて、自分の目で確認できた。ウクライナへの引っ越しについてのお互いの質問はだんだんなくなった。

引っ越した後、私たちの生活は変わったのか？　スターリンは、『帰ってきたスターリン』というような映画で、「愛から恨みまでは一つの歩み。だから、恨みから愛までも一つの歩みだ！」と語っていた。

とても論理的だ！　私と夫はそういう風に暮らしていた。一歩前進、一歩後退。

「Go to hell!」[4]

「あなたはあそこに先に行く。でもあなたをあそこでも見つけるよ！！」夫が答えた。

そのような喧嘩をした。この世にはない愛だった……

外国人と結婚。国際化やグローバル化が進んでいるにも関わらず、まだまだ国際結婚は大変だ。日本ではそれを特に感じた。驚いたのが、ウクライナでも両親は外国人だからということだけで、外国人との結婚をあまり進めていない。

友達は国際結婚についてのフォトプロジェクト『統一と多様。二つの民族、一つの家族』に参加するように招待した。

ポジティブなプロジェクトのチラシの一つの表現が気になった。『メディアとネットのテクノロジーのお陰で、社会で様々な制限がなくなっている、特に同性婚、国際結婚、労働と政治の移動……』

プロジェクトの主催者が国際結婚について話を始めようとするのに、単に句点だけを付けて、同性婚と同様に扱うの？　まあ、国際結婚はまだまだ本当に terra incognita だ。


エレナは私たちの結婚生活を見て、コメントした。

「ママは専業主婦じゃなくて、パパ専業だね」

「どういう意味？」

「まあ、家の世話というより、パパの世話ばっかり」


ミニバスでマリアに会った。

「夫は元気？」

「相変わらず、自分の隅にずっと座っている。でもある日、夜中に私を起こした。『Wi-Fi がある二十四時間開いているレストランまで、早くタクシーを呼んで。電気が切れてしまった。パソコンの電源も切れてしまった。僕は案件を終わらせないと』日本に電話して、電話は繋がる。事情を教えてください。寝ることも大切。ちょっと寝てよ。私も少し寝かせて。『いや！今はレストランに行かないと！』じゃあ、タクシーを呼んだ。エレベーターはもちろん動かない。五分後、息を切らして、戻ってきた。それで家に残った。玄関のドアにはセンサーがあるから、電気が切れると開けられない。コンシェルジュだったら開けられるけど、コンシェルジュは寝ていて、彼女を起こすまではしなかった」

「まあ、すごい精神病ちゃん」

「それは精神病ちゃんではなくて、普通の状態よ。それは日常的なこと…」


「エレナ・イワノヴナ先生、日本の教育について聞いてもいいですか？」ある日エリザの先生に聞いた。

「日本はどこでしょう？　私たちはここ」保育士がコメントした。

「いいえ、そうよ。みんなの子供はうちの子供」エレナ・イワノヴナ先生が答えた。

彼女はトドラークラスの担当先生で、一番小さな子供と働いていた。クラスには十五人程度生徒がいて、みんな先生のいうことを聞いて、みんな全て丁寧にやっていた。

エレナ・イワノヴナ先生はやはり厳しい先生だった。子供にはしっかり仕付けをした。

「二歳までに小さな人間は何がよくて、何がダメで、何が必要かをよく理解しなければならない。日本では許容性が多すぎる」彼女が言った。

「もしも子供が言うことを聞かなかったら、どうすればいいですか？」

「どういう意味で聞かないの？」彼女は驚いた。


エリザは私に複雑な質問を聞いていた。

「ママ、女の子は結婚に入るけど、男の子はどこに入るの？」

「男の子も結婚するんだよ」

「ママ、結婚からは出られるの？」

エレナは大人すぎる希望を言った。

「ママ、私はもうママのように大きくなりたい」

「何で？」

「子供が欲しい」

季節が過ぎていた。エレナはキエフ少年芸術学院の準備コースから一年生になるための入学試験を受けていた。オーディション中。バイオリン、ピアノなど。終わりに近づいた時、エレナが聞いた。

「詩は？」

「そうですね。でも長くなくお願いします」

エレナが始めた。

「三人の姉妹が夕方に窓の下で糸を紡いだ……」

一分ほど審査員は彼女を静かに聞いていた。二分でちょっと止めた。

「この詩は最後まで知っているの？」

「はい」

「忘れていない？」

「忘れることはないよ！」

エレナは無事に入学して、私たちの家族はキエフ少年芸術学院の近くに引っ越した。

私と夫はポディル区にある『ピアノカフェ』というライブハウスでライブを始めた。彼はギター、私はボーカル。ピアニストともコラボするようにと提案があったけど、彼女は私たちのデュオを聞いて、言った。

「彼らは誰もいらない。彼らは自己充足的だ」

「みなさん、こんばんは。ギターは明雄、ボーカルはエバです。最初の曲は『Happy ever after　いつまでも幸せ』」という挨拶でライブが始まっていた。

アイロニー？　いいえ。アイロニーはなかった。自分たちについて歌った訳ではないから。休憩の時、お客様のテーブルに座った。ある婦人がシガーを吸いながら、私を呼んだ。

「彼はあなたに対してすごく素敵な目で見る！　もしも私にもこのような目で誰かが見たら」彼女はエロっぽくこそこそ話した。

「彼は私の夫です」

「いいなぁ！　すごくハンサム！」

夫はウクライナですごく人気だった。

一時間半のライブは『Every day I have the blues』という曲で終わらせた。

「最後の曲でした。長調でのブルース。そのブルースの意味をまとめると、『毎日苦しい、私のことを誰も愛していないからです』笑顔でステージでMCをした。「みんなに機嫌良く、ブルースを少なくして、愛と喜びをもっと多く。さようなら」

お客様は私たちのライブを気持ちよく聴いた。まさか！　七年間全くリハーサルしなかったのに、すぐにしっかりと地に足を付けることができた。でも私の七年の不思議な生活には影響があった。テレビやネットや普通の人間とのコミュニケーションもなかった。それでなくしたくない友達もなくした。友達のメールアドレスが変わって、私のメールアドレスも変わった。長年使ってなかったYahooは迷惑メールだらけだったから、Gmailに変えた。

ウクライナでゆっくり息を吸って、七年後でも大切な友達と連絡を取ろうとした。チョコレートのサクソフォニストにメールをした。覚えていますか？　第一章の初めに書いている。彼は早速返事を送った。『やっと！！！！！！！！！！　信じられない、僕と連絡を取るのに七年間かかったの！！！！！！！！！！　どこでもあなたを探した！　Googleでも、Facebookでも！　あなたはどこにもいない。それで分かった、待つしかないって…やっと！！！！！！！！！！！』

私はこの返信で完全に目を覚ました。

私を結婚式で個性的に祝ったイギリス人のマークにもメールを送った。彼はその日に返事をくれた。優しくて、愛情がいっぱいの手紙だった。突然私から手紙をもらって、驚いて感動したということを書いていた。会うようにお願いした。メールはやはりメールだけなので、でも黙るよりも、フェイスブックの光沢よりも、いい方法だ。最後に私が身震いするほどに、彼はメールにこう書いていた。「誰もあなたほど強く欲しくはならなかった。あなたと出会う前も、あなたと出会った後も……シチリアの海岸に一緒に逃げようよ……もしも、そのことを断ったら、『ニュー・シネマ・パラダイス』の映画を最初から最後まで見るように約束して……」

マーク、何を書いているの?!

多分、そのような返事がもらえるように、七年間黙っていて良かった。『でも、もし今私と会ったら、がっかりするだけだけど』と、私は考えた。楽天性も、目の明るさも、素敵な話も、ただの女性の魅力でさえもなくなった。

日本では私はすごく褒《ほ》められて、腑抜けになってしまって、もう私は誰にも気に入られない、誰も私には興味をもたないと思った。私の自己評価は長年すごく低かったので、男性と話すことでさえ怖かった。ウクライナでは男性は私が今も魅力的だと思い出させてくれた。

「あなたはすごく美人」

「いいえ。そんなに」

「それは過小評価だよ!」

私は新しい知り合いを作るのを控えた。自分で自分のことが怖かった。ハリネズミのような人だった。過去の人生をいつも思い出していた、安心できなかった。私の過去の人生、他の人に迷惑をかけない方がいい。

それでも、古いキエフの友達ビクトルには連絡しようかと思った。彼の人生から私が突然に飛び出した、まあ、入っても突然だね。あまりよくはなかった。あ、古いメモ帳に彼の電話番号がある！　その番号はまだ使われているのかな？　すぐに電話した。ビクトルが出た。

「お！　マダム！　僕にやっと電話をくれたの？」すぐからかった。

ビクトルも、マークも、チョコレートのサクソフォニストも、まだ結婚していなかった。ただ新しい車を買ったり、自分にも両親にも別荘を建てたりした。『何で彼らはそんなに怠け者なのか？　まだ自由だね！』と、楽しく考えた。

ビクトルと数日後に会った。

「いつものようにゴージャスだね！」

『私はゴージャスなの？！』と考えた。でも抵抗しなかった。

「僕は別荘を建て終わった」

「そこには誰が住むの？」

「僕もそればっかり考えている。一人で暮らせない」

「ビクトル、もちろん、私にはあなたのような補欠と別れるのは残念だけど。色んなものから逃げる」からかっている。「マンション、家、車。でも、あなたには幸せになって欲しい。私には夫と子供がいる。友達を紹介しようか？　若くて、美人で、独身。スチュワーデス。人柄は楽しくて、面白い。名前！　ビクトルとビクトリア！　ダブル・ビクトリー！」

紹介した。お互い気に入った。

一週間も経っていない日に、ビクトルが電話をかけた。

「最低！　頭の中はグチャグチャ！　彼女は男性は愛し合うためにだけで必要だと言っている！　彼女と比べ

て僕を使って聖のイコンを描いてもいいぐらい！」

「処女を紹介しようか？」自分の正当化とコントラストを付けるためにも提案した。

休止。

「まあ、会った時、話そう」ビクトルが言って、電話を切った。

また数日後、電話で話した。彼はまた感情がいっぱい。誰を紹介したの？！

「だから、処女を紹介しようか？」

「マジで？！　単に脅迫されたかと思った！」もう冷静にビクトルが言って、電話を切った。


私たちの家庭生活は普通に流れていて、あまりにも特別なことがなかったが、久しぶりに、家族全員でバレエを見に行った。家に遅く帰って来て、起きたのも遅い。

「見たよ、あのダンス、『湖の白鳥ちゃん』」エリザが言った。

「白鳥の湖？」エレナが確かめた。

「うん、『湖の白鳥ちゃん』」エリザが再確認した。

携帯の電源を付けた。ビクトルから五回電話があった。また電話が鳴った。

「どこにいるの？」

「昨日はバレエを見に行ったから、電源を消して、付け忘れた」

「安心した生活だね！！」

「あなたは？　スチュワーデスはどう？」

「最低！　今朝はまた大喧嘩！　何で僕がトーストにバターを付けなかったのかだって！　僕は彼女に朝ご飯も、昼ご飯も、夜ご飯も、コーヒーも、ベッドに持って来ているのに！」

「そしたら、彼女はあなたと夕飯も、朝ご飯も？　彼女を甘やかしている」

「僕もそう言っている。『ダーリン、もしも、あなたが自分で引っ越しや、指輪について話を始めたら、他の関係も、ロマンチックなものから、もっと責任を持っていかないと』」

「そうよ！」

「彼女はそのトーストのことでドアでガッチャン！　彼女はもう三十歳なのに、青年期の行動だ！」

「奥さんとして、彼女と話してみようか？」

短い休止後。

「いいえ。何とかなる。エバ、会おうよ。まあ、友達同士のセックスはどう？」

「何？！　彼女の頭の中はゴキブリだって、自分は？！　私には夫も子供もいる。夫は多分、セカンド・ブレスが出てきた。つまり、どうなっても、スチュワーデスはあなたにはよく合うと思う。でもあなたは彼女を平凡なものにして、応援して、軽く突いて」

「僕を誰が応援するの？」

「そのうち彼女が応援するよ」

「彼女は最低！」

「ちょうどそのような相手が合うと思う」

もうちょっとしたら、ビクトルは自分のスチュワーデスについてもっと冷静に話した。たまには言った。

「僕のスチュワーデスは一週間飛んでいる、一日ぐらい遊びに来ませんか？」

「あなたは相変わらずだね！　行くよ！　夫と全く我慢できなかったら、スーツケースと行く。いい？」

「いいよ！」

「三人で暮らそう」

「イイイイなあ〜！」

それでビクトルは無限に夢が膨らんだ！　エマニュエル第五番！

「スチュワーデスが私にフランスの香水を買ってきてくれたと言っていた。あなたの話で、全ての香水をあなたに付ける、一ヶ月程度香水が取れなくなるほど。そのまま自分の打ち合わせや、シンポジウムなどに行って、周りの人を喜ばせる」

その脅迫はビクトルには気に入った、でもそこまでやる必要が無かった。ちょっと前に進む。ビクトルとビクトリアは今でも一緒。お互いに面白いみたい。

キエフはコンパクトな街だ。中心地を散歩するだけで、沢山の知り合いに会う。それで、私はもう長い間会ってない、連絡先がなくなった知り合いや友達によく偶然に会った。そのような再会はいつも良かった。私のメモ帳には新しい名前がいっぱい入った。でも広い意味の友達もいれば、狭い意味の友人もいる。友人は相変わらず、小・中学校の同級生アデライダと大学の同級生アリナだ。彼女達といつも連絡を取っていた。

アデライダは学校のころから言っていた。

「専攻は関係ない。流れに入ることの方が大切」

彼女は自分の流れに入った。しかもコネはなしで。いい高等教育を受けて、先ずは数年間ボスのために働いて、自営業を始めた。彼女の手にはそのビジネスは最高にならないとおかしい。

「全ての金を稼げない」と聞いた時、「全てはいらない。でも、これ、それ、あれはいる！」と彼女が答えていた。

アデライダは子供が三人、夫と四人目も欲しがっている。外のベビーシッターがいない。そのスキマに……祖父が入っている。それで、彼女はドイツ語も勉強している。

「ハウアーユー？」彼女に電話した。

「コントラスト！　素敵なコントラスト！　みんなはひどいけど、私は全てパーフェクト！　ちょうどあなたに電話しようと思った。お客様がいる、外国人。通訳してくれる？」

「英語？」

「英語」

「法律関係？」

「法律関係。でも簡単。不動産系。うちの弁護士と会う。知り合いの通訳を紹介して欲しい。事務所は使いたくないし」

「いいよ」

まだ大学生の頃、英語教師が言っていた。

「通訳って何？　いつも他の人の考えを訳するだけ？」

私はその時、表現をプラス思考に直した。「他の人は理解し合えるように手伝うのがいいね」

アデライダの事務所で会った。

「ドバイからの億万長者がヤルタ近辺に沢山別荘を買って、騙された」

「あそこで騙されるな！」

「だから、問題を解決するためにウクライナに来た。いい人だよ。助けないと。行こう」

アデライダのジープに乗った。彼女はすぐacid jazzをかけた、それから突然提案した。

「娘の大好きな歌は全て『雪姫について』に分類されている。一曲聞いてみる？」

「いいよ」

それでウクライナ民謡の『コザックはデゥナイ川に向かった』を聞かせた。当然、雪姫についてのヒントは一つも無かった。

「じゃあ、何聴く？　雪姫についてか、それか前の曲？」

「前の曲がいい？　でも、いい演奏だった。娘はそれを論理的にどう説明しているの？」

「説明なんてないよ。でも、彼女はそのような『雪姫について』の曲を十曲ぐらい知っている」

キエフの大通りフレシチャーティクを走っている。

「見て！　昼間なのに、みんな普通に街を歩いている。アンドロポフがいないね！」と、アデライダは大通りで散歩している人混みをコメントした。

「みんなフリーランスかも」

「あんな罵りの言葉は、前はなかった！」

「大笑いの冗談を覚えている？　旧ソ連に日本人が来て、周りを見て、言った。『あなた達が手で作っているものは最悪！　でも子供達はいい子だね』

「Miss ウクライナ」というコンテストの看板の横を通った。

「申し込もうか？」冗談でアデライダが聞いた。

「まあ、私は身長も、体の基準も合わない」

「身長？　関係ない！　基準は関係ない！　ハイヒールを履いたら、もう身長が伸びるし、マッサージして何か入れたら、もう基準！」

「そこに年齢制限はある？」

「あなたを公的に十五年ぐらい低くするよ」

「夫は私を『妻のためのユーロヴィジョン』に、もしそのようなコンテストがあれば、ファイナルまで参加させようとしている」

「お！　そこまで夫婦関係が良くなったの？」

「あなたのドイツ語はどう？　いつも驚いている、あなたの忙しさで新しい言語を学ぶ！」「全てオーケー！　ゲーテ・インスティトゥートの教師が私にこう聞いた。『何でドイツ語を勉強しているのですか？』『オーストリアに住みたいからです』と、私は答えた。彼女は『彼らは違うメンタリティーで、あなたには大変になります』『まあ、彼らには私のメンタリティーとは大変になるかもしれませんが、私には大変にはなりません』と答えた。だって！　私はお花を植えたり、子供を育てたりするから」

「あ！　何でふるさとを棄てるの？」

「ふるさとは誰も棄てていないよ！　年に五回家族で通って、ふるさととビジネスする！」

到着した。ゆっくり、リラックスした雰囲気で億万長者と他の彼の国民と話した。億万長者は息子達の写真を見せた。私は携帯の画面で娘達の写真を見せた。彼はしっかり写真を見て、言った。

「うちの息子と結婚させましょうか？」

でももう弁護士が着いたので、用事を始めないといけなかった。

もう三人だけで残った。ドバイの億万長者とキエフの百万長者の弁護士と通訳者の私。

「この国はヘンだ、ここは全てヘンだ！！」ドバイの億万長者が話を始めた。

「うちが全てヘンだったら、話を始めるのもヘンだ！」キエフの百万長者の弁護士は譲らない。

私は通訳者だ。グチャグチャな状態から始まると、通訳者の役割だけではなくて、他の関連の役割も含めるべきだ。自分のポケットについても忘れちゃダメ。そのような二行の通訳でどんなギャラがもらえるの？

共通点を見つけようとした。表現をもっと優しく通訳した。もっと丁寧で、もっと魅力的なニュアンスを入れた。男性達は少し冷静になって、話はスムーズに進んだ。現場での調査を含めて、これからの作戦を決めた。

「一万ドルって何？　お小遣い！　でも、一ドルでも騙されたら、許さない！」と、もう冷静にドバイの億万長者が言った。

キエフの百万長者の弁護士は賛成した。

有意義な打ち合わせの後、ちょっと食べに行った。夕方、私は夫とライブをしている『ピアノカフェ』に誘った。一緒に寄った。気に入った。メニューを見ている。

「ここは皮つきのままゆでジャガイモはある？」ドバイの億万長者が聞いた。

「いいえ」私は答えた。「でも違う、ディルニという、ジャガイモの料理があります。とても美味しい料理です。お勧めです」

あるジャズスタンダードを思い出した。『Give me some mashed potatoes, give me a simple life』[6]

このような高級な人とは滅多に話さないけど、成功した人、金持ちで、尊敬されている人と何かをした時は、スノビッシュではなかった。多分、私はラッキーだったのかな？

うまくいった打ち合わせの後、私は満足感を得た。ちょうどそのような心の状態で、思い出して考えるのがいいね。アラブ人のエネルギーはいつも魅力的だった。怒るのが上手、綺麗に仲直りするのも上手だ。イタリア人もその意味では好き。喧嘩するだけで何か気持ちがいい。

ウクライナにはイタリア人はそんなにいないけど、アラブ人は十分。世界中を回ったアラブ人の友達の驚きを思い出した。「公衆電話でウクライナ人がウクライナの友達に電話しているのを見た。『今から遊びに来ていい？』それはウクライナでしか聞かなかった！！」

ウクライナ人、ウクライナ人。世界中に飛び出している、飛び出している。新しい社会に同化して、ロウソクがなかったら気が付かない。

例えば、ステファン・ウォズニアック（スティーブ・ゲーリー・ウォズニアック）『アップル』の副社長。両親は西ウクライナ、ブコビナ出身。スティーブ・ジョブズは日本の禅に興味があった。それで『アップル』ではある意味でウクライナと日本の対話になった。ジョブズは尊敬されていて、ジョブズについての本はベストセラー。ボズニャックもそうすれば？　それで全てのページで国民のルーツについて書くように！

大鵬幸喜は？　有名なお相撲さん！　彼の父はウクライナ人、マルキャン・ボリシコ。でも勝利の点で大鵬の右に出るものがいなかった間は、日本では長い間そのことは知られなかった。

ウクライナの男性は日本の男性よりどんな利点があるのか？　ほとんどのウクライナの男性は同時に色んなことがよくできる。いわゆるマルチ・タスク。働く、妻に優しくする、家事をやる、子供の世話をする、それでも自分の友達や、色々なお祝いや、自分の趣味も忘れずに。日本の男性はそれができない。働くために働くだけ。

街の看板を見た。『キャリアは家族には迷惑？　転勤したら…』

エレナとバイオリンをやっている。エリザは同じ部屋にいる。塗り絵している。休憩の時、スタンダードではない塗ったカメを見せた。エレナが聞いた。

「何でカメはそんなに妖精的？」

様々な色のカメは本当に妖精的に見えた。実際のカメをエリザは見たことがない。それでエキゾチックな動物と鳥の展示会に行くことに決めた。そこで色んなカメを見た。

「あ、カメは大きな海で遊びたいの？」と、エリザが聞いた。

「もちろん！　それがカメの夢だよ。それはカメのお家よ」

エリザはカメに同情した。展示会では鸚鵡の方が面白かったけど。派手な色だけではなく、行動のことでも。ある鸚鵡は私を見て『ママ』と言って、頭を下げて、あたかも撫でるようにお願いした。

私は頭を撫でながら、何か言った。鸚鵡はちゃんと聞いた。それから、翼の下が痒いと見せた。私は掻いてあげた。他の鸚鵡のところに行った。

展示会員は鸚鵡にナッツをあげた。鸚鵡は手で持つように足でナッツを持って、食べ始めた。鳥かごに座っていた他の二匹の鸚鵡に近づいた。ナッツをもらうとすぐに二人で分けた！

色々なヤモリもいた。日本のヤモリについての記事を思い出した。日本では家のリフォームをする時、壁を壊すと、ネジで足を打ちつけられて、生きているヤモリを見つけた。そのヤモリは十年ほどそのような生活をしていた！　どうやって？　業者は、他のヤモリが口で食べ物を持ってきていたことに気が付いた。こうしてあのヤモリは十年ほど餌を取っていた……

タクシーの運転手は、事件の目撃者で、詳細を述べた。二匹の犬が道を渡ろうとした。一匹に車がぶつかって、普通に先へ走った。二匹目は死んだ犬に近づいて、本格的に泣き出した…

そのような話を娘達にも教えている。

エレナとエリザはとても仲が良かった。いつも通っていた子供の店の店員でさえそこまで仲良くしている姉妹に会ったことがないと言っていた！　店員は沢山の子供に会うけど。

娘達とよく長く色んな話をした。

「ママ、私は百歳まで生きたい」ある日エレナが言った。

「八十歳になったらどんなことをするの？」迷わず私は聞いた。

黙っている。

「多分、孫達に昔話を読む」私は続いた。

「あ！　そうだ！　私は孫も曾孫も欲しい」

「そうしたらジェーニャと早めに結婚しないと」

「ママ、ジェーニャと同じ日に死にたい」

「それはあまりいい夢ではない。それぞれの生物的な期間を生きていた方がいい。まあ、事故が起こる時もあるでしょう。その時、人は同時に死ぬ。そうならない方がいい。誰が先に死んで、誰が後に死ぬ。その後、どちらにしても二人で会う、二人の魂」

「まあ、ね。あそこで魂はやることがない」

「だから、あそこではいいことができるように、ここで魂を成長させないと。例えば、今あなたがやっているように。みんながスラビク君をからかっている時、同情して応援する。沢山の子供と孫が欲しい。祈っている。そのようなことであなたは自分の魂を成長させている」

「あそこではどうなるの？」

「それは誰にも分かりません。例えば、あなたがママのお腹の中にいた時、この世に生まれたら、何をするのか知っていた？」

「いいえ。文字も数字も知らなかった」

「あなたはママのお腹の中で泳いで、ママのヘソから食べて、ママの心臓の音を聞いて、多分ずっとその生活を送ると思っていたのかも。それからこの世に生まれた！」

「そうだね！」と、驚いた。

「結局、この世で生活を送る時、次の世に行くために成長しないといけない。生まれ続くために」

「あ！」また嬉しく言った。

その時、そのような会話はエリザには重たかったため、エリザはずっと私のスカートを触っていた。何かマフィンについて聞いた。

「どっちでもいいから食べて」と、私は答えた。

エリザは私を撫でた。

「ママ、愛している」

その後ハグした。

「ママ。食べ物のにおいだ」

娘達は大きくなった。エリザは三歳からキエフ少年芸術学院に通い始めた。でも、先ずはピアノのレッスンだけだった。

他の入学者と同じく、エリザも心理学者のテストを受けないといけなかった。エレナはもう済んだので、私は大体の内容を知っていた。予め、エリザにテストをした。

「エリザ、まだ見たことない動物を想像して見て」

エリザは空を見た。

「想像した？」

「うん」

「もしその動物があなたと喧嘩したら、どうする？」

「ママのところに行って、家に帰る」

「いいよ」

学校の心理学者のところにやってきた。

「ウラディーミル・ビャチェスラボビチ、こんにちは。こちらは私の次女です」

エリザはすぐに周りに興味を持って、部屋やデスクを見て、迷わず先生の質問にも答えた。私は長女の答えが残っているかどうか聞いた。比べたかった。

「あ、パソコンに記録が残っている。『経験不足だけど、リーダーシップの希望がある』彼女はキンダーガーデンに通っていなかったのでしょうかね？　あ！　動物についてです。『もしも喧嘩が始まったら、静かに怒る』これは個性的だった」

「ありがとうございます」

エリザはピアノの先生ととても仲良くなって、心から話をしていた。

「キンダーガーデンで『エリザちゃん』と言っている」エリザが始めた。

「愛しているでしょう」

「『エリザちゃん、お尻が青くなる』と言っている」

「あらら！　何で？」

「私は寝ていないから…」

　レッスンが終わってから、エリザとミニバスで帰る。

二人の若い男性がエリザを膝に座らせた。私は一つだけお願いした。ビールを飲ませないように。エリザと会話を始める。

「お！　小町！」

「私はウクライナ語を話せない。できるのが昔話を教えることと詩を書くことだけ」と、エリザが答えた。

「いいよ。ごきげん？」

「キゲンって何？」

「まあ、いいよ。あなたは何歳？」

「三歳」

「いや！あなたはもう五歳か六歳！学校に通っている？勉強している？」

「いいえ。プレイしている」

「何をプレイしているの？　遊んでいる？」

「遊んでるんじゃなくて、ピアノをプレイしている」

「何？　何？」

「ピ・ア・ノ」それで指先でキーボードを触るようにした。

話は新しい調に入った。

「一番大切なのはママのいうことを聞くことだ。ママのいうことを聞いてね」

話が発展した。

「あなたはすごく美人。もうそのことを聞いたことがある？」

「うん」

「自分は美人と信じている？」

エリザは黙っている。彼らはアイディアを出した。

「こう言ってね。静かに羨んでください！」

私は話の輪に入った。

『はい』は言って。黙った方がいいけど。あなたは今は正しい」

「それはダメ！　賢すぎると思われる」彼らは冗談を言った。

私たちのバス停。彼らに感謝して、エリザと降りた。

「家に帰ってから日本のおばあちゃんに電話しよう。おめでとうを言おう。三月十一日は彼女の誕生日。ちょうど今日」

みんな電話の前に集まって、かけた。

「おばあちゃん、お誕生日おめでとう！」喜んで娘達が言った。

「あら！　どんな反応すればいいのかな？」と、おばあちゃんが私に言った。「今日はここでは大変！　津波、地震、原発事故！」

福島。チェルノブイリの反響。その時がその日だった……

「誰がそのような計画をしたの？！　誰が建てたの？！　原子力発電所をこんなに海の近くに！」日本人が憤慨した。

日本人の友達から、日本人らしくない感情や痛みでいっぱいのメールをもらった。『日本は大丈夫だって！　そう言いたいけど！　原発、津波、地震！　それは大丈夫？！　メディアによると全て大丈夫！　それは大丈夫と言う？！』『福島県は私のふるさと、実家！　今は、実家はどこ？！　誰がいつそこに入れるの？』『みんなお幸せに！　ウクライナも、日本も、お幸せに！　チェルノブイリ人にも、福島県民にも！　数十年は原発の周りに入ることは危険！　神様のご加護がありますように！』

福島とチェルノブイリ。二つの大胆な点……

突然エレナが言った。

「ママ、パヴリック君のママが神様はいないと言っている」

「見えるものだけが存在すると考える人もいる。でも、神様は違う存在。見えない。放射能と同じ。放射能は見えないけど、存在する。人間を痛みつける」

エレナはランドセルに全て入れたかどうか確認した。

「祈祷書は持っている？」

「うん」

「いい子」

数日後またランドセルを見た。

「もう祈祷書を入れていないの？」

「いいえ。もうなしで祈っている」

多くのウクライナ人は日本で手伝いたくて、日本大使館にやって来た。でも、大規模にそれを組織するのは大変だった。結局、祈るしかなかった。

十日後、日本人の音楽家が書いた。『もう日本は少し落ち着いてきました。それは逃げられない大きな惨事です。福島の惨事はチェルノブイリの惨事と似ています。この惨事は隠さないです。でもそのような惨事は将来避けるようにしないといけないです。エバ、ピリピチャクさんに大きなお願いがあります。予定されたコンサートのために新しい曲を作曲することです。日本とウクライナの音楽的なお祈り。平和のために、子供のために、将来のためにです』

この手紙はすごく心に響いた。音楽的なお祈りの対話のアイディアには鳥肌が立った。

はい、二〇一一年の秋、『音楽的な対話、ウクライナ・日本』という大きなイベントの予定があり、もう準備は始まっていた。最初は全く違う流れで予定されていたが、諸事情によって変更された。イベントの名前は主要曲『蝉のお祈り』に由来して名付けられた。

私はそのイベントで日本とウクライナの間を結び付ける役割だった。先ずは翻訳・通訳者とコーディネーター、それから新しい曲の主要なソリストだ。

作曲家とプロデューサーであるワシーリ・ピリピチャク氏に音楽的なお祈りの曲を作曲するようにお願いした時、『もし僕がそれを作ったら、成熟した作曲家と感じる』と、彼が答えた。

数日後、彼からメッセージをもらった。『始まった！スムーズに！』

彼が特別な感性で作曲を始めた。台本でさえ自分で作った。とても考え深く、意味も深い。仕上がった曲は、光のある、勇気がある、現代的な曲で、その作品に卓越した完成度を与えた。

室内オーケストラと合唱団とソリストのための交響曲、隠喩的な題名で『蝉のお祈り』悲惨的で、哲学的な作品。

蝉はそわそわした魂のようだ……

世界の惨事は誰のせい？　世界中の虫が会議に集まった。裁判。誰のせい？　みんな？！　みんな！！

創造者は世界の惨事の原因を魂の劣化としている。でも『蝉のお祈り』は明るい作品だ。フィナーレは期待、優しさ、あたたかさ、光を宣言する。

台本を初めて見た時、喜びの涙が出てきた。『お祈り』はどんな宗派でも非難することができない！　私は違う宗教の信者とすごく祈りたかった。日本人とすごく祈りたかった。それはこの音楽的な対話でできた。

その来たるウクライナ・日本のイベントの巨大さと深さは一流の演奏家の必要性を強調していた。こうしてウクライナの大統領オーケストラを要請した。

作品はイベントの三週間前に完成した。リハーサルの時間はほとんどなかった。音楽的な技法が複雑で、ただの譜読みだけでは進まない。合唱団の準備が間に合わなくて、合唱のパートをソリストが歌った。

もともとソリストは三人の予定だった。母、息子、ナレーター。でも子供のソロの候補者は短期間でリハーサルができる自信は無かった。

「そのような子供のソロパートのためには少なくとも半年のリハーサルが必要だ！　オーケストラと歌うし！」

もし合唱のパートを何とかソリストにも歌わせることができたとしても、子供のソロパートを消すことはできなかった。子供は主役だった。ワシーリ・ピリプチャック氏が心配していた。どんな子供がそのようなソロパートをそんな短期間で練習することができるの？

母のパートは私だった。イベントの初演までは二週間だ。誰が息子のソロを歌うの？　候補者がいなかった……娘！　私の長女！　彼女と二週間でそのソロパートをリハーサルすることは可能だ。

まだ七歳だけど、まだその難しい役には幼いが、彼女は何が難しいか、何が簡単かまだ分からない。ママとは何をやっても安心して簡単だ。こうして一緒にリハーサルが始まった。そうして息子のソロは娘のソロになった。

二回目のリハーサルだ。リハーサル後、指揮者がエレナに聞いた。

「どう？　大統領オーケストラと歌うの好き？」

「はい」

「そうしたら、明日も歌いに来てね」

「あ！　明日も学校に行けないの？！」と、悲しんでいた。

エレナは自分の学校、キエフ少年芸術学院が大好きだった。

オーケストラの演奏者が応援した。

「多分いい学校なのでしょう」

オーケストラの演奏者はエレナにも、リハーサルに通っていたエリザにも感嘆していた。

「素晴らしい子供達！　伝説上！　三人目も生んだ方がいいのではないのでしょうか？　あなたの子供には、何て言えばいいのかな、子供にはそのような言葉は相応しくないが、クオリティーの高い子供達だね」

二〇一一年九月二九日、国際音楽祭『キエフ・ミュージック・フェスタ』にはウクライナ・日本のイベント『蝉のお祈り』は成功した。アイディアを与えた日本の指揮者上野氏が指揮した。

「何、何？　ソビエトのお祈り？！」

「いいえ。『セミのお祈り』です」私は訂正した。

「あ、そう？　ソビエト連邦共産党中央委員会を祈り始めたと思った。僕は、前は共産党員だった！」

「ソビエトも、セミも、みんな……」

福島の惨事の後、私たちの半分の日本の家族が何で日本からウクライナに引っ越したのかの質問が自然になくなった。逆にみんな「ここにいて良かった」と言っていた。

でも、日本・ウクライナのイベントの数週間後、上野氏の招待で、ピリピチャク氏と日本に出張した。色々な打ち合わせが多かった。テレビ放送局、映画製作、芸能事務所、プロデューサー達とも。どこも暖かく歓迎してくれた。面白い、有意義になりそうな仕事上の関係が確立した。

夕食中、上野氏は既に二十年間一緒に活動してきたピリピチャク氏に言った。

「僕達はもう若くないですので、もう若い世代に権力を渡さないといけないです」

「もう渡しています。エバへ。彼女には多面性があり、意志が固い！　それはとても大切なこと！　そして、彼女は女性！」

私も自分でその権力をもらいたかった。私は『無駄な数年間』について、もうほっとしてきた。ほら！　それは私のポテンシャルの出口だ。それは私が社会に役に立てる道だ。それはウクライナと日本の文化交流！　そこは私の隙間だ！　私は日本で起こった全てのこと、みんなのことを許した。心の中には光があった……

それで今はこの小説が始まったところまできた。日本にいる場合は、礼儀正しく日本の親戚とも会わないといけない。全く会いたくはなかったけど。

当時、義母は私にすごく優しかった！　でもその優しさは偽りだった。

「何をやりたい?」ミコちゃんのところに向かっていた時、車の中で取り入るように義母が聞いた。

「今やっていること」と私は答えた。

「あーーーーー！　帰って来た！！」と、玄関から夫が叫んだ。

私は意気揚々としていたけれど、疲れていた。長い旅と時差も結構大変だった。

「どう?!　自由な生活が気に入った?　もう好きな活動しているのね?!」夫がからかった。「ペル・アスペラ・アド・アストラ?」今から違う星が落ちて来るよ!!　まだ目を眩ませていないの?」

目の前が突然真っ暗になった……


「彼女は短期の医療のために日本に行って来たが、以前入院した病院だけど、長期の入院を勧めている、と、夫は言っていた。今の住民票に従って、近所の病院に入院する。夫は彼女に日本の薬を飲ませた。彼女は今寝ている。夫によると、彼女はとても乱暴で、うわごとを言っていた」私は周りの声が聞こえた。

その後、現実がなくなった……


楽しい声が聞こえる。

「近所に住んでいるの?」

「あの冗談みたい。『以前は刑務所の前に住んでいたけど、今は家の前です!』」

「お!　あの人の目が覚めた!」

「おはよう、おはよう!　私たちと悲しまないで!」と、私に言った。

「私は処女」と、ぽっちゃりが楽しく話した。

「だから男がいたら、すぐ治るんじゃない!」

「別に治るか治らないかは関係ないよ!　もうすぐアメリカに行く。そこは親戚が待っている。叔母は精神科。彼女は今も私の担当医師にコンサルティングしている。でも結婚は処女のままで!　ユダヤ人とだけ!」

「あ!　私が二十棟に入院した時、そこはマリアがいっぱい、マリアがいっぱい!　私は誰?　病人!　医療が必要!」もう他の患者が話した。

私は起きた。誰も私には構わなかった。周りはサマーキャンプのような楽しい雰囲気だったが、病室だった。私は頭が重くて、体が怠くて、何か言おうとした時は舌が回らなかった。きっと何かの薬の副作用だった。

医師が部屋に入った。

「体調はどう？」

「頭が重い」

「どうなさいましたか？」

「私は極悪と裏切りと暴力と暴行に直面した……」と、私は始めたが、医者が話を切った。

「それは誰にも面白くない！」次の患者のところに行った。

「私は病気ではないのに、なぜ私はここにいますか？」

「それも病気の大切な症状の一つだ。患者は自分は病気ではないと思っている」

そこで話が終わった。私は黙って待つしかないと理解した。ここから出るまで待つ。早くなるように黙る……

学生の頃よく読んでいたアントン・チェーホフを思い出した。『第六病棟』

『「なぜ僕をここに入れさせたの？」と患者がイワン・ドミトリーチ医師に聞いた。

「病気だから」

「はい、病気です。でも、何十人、何百人の精神障害者は自由な生活をしている。あなたのように無知で病気と健康な人との区別ができないからです。なぜ僕と他のかわいそうな患者は贖罪のヤギのようにここに居なきゃいけないの？　あなた、医者、見張り人、病院のスタッフ全員が患者よりも人間性は下位なのに、なぜ我々は監禁で、あなたたちは自由なの？　論理性はどこ？」

「人間性と論理性は関係ない。全て機会による。監禁になった人はここにいる。監禁になっていない人は自由です。それだけ。僕は医者。あなたは精神科の患者。人間性も論理性もない。ただの無作為なのです」』

また部屋に医者が入ってきた。

「来てください。心理学のテストを受けないといけないです」

テストの内容は何かの連想や絵などだ。最初の絵は簡単すぎる。

「それは小学校の一年生でさえできます」私は言った。

「その後もっと難しくなります」

「分かりました」

テストに合格した。

「全て合っていました？」

「二つぐらい間違っていました。あなたは絵を『ざわめきだから』という方法で連想を始めたからです」

まあ、専門家との口論は難しいね。でも医者はやはり患者の専攻や仕事などについてちょっとだけでも聞いてくれれば良かった。私は音楽家。その時、最も正しい連想は似ている音だった！

私はしばらく日常的な生活から離れた。夫は私の不在の理由といる場所をみんなに自分に都合のいいように詳しく説明した。

周りは私を同情の目で見た。私の評判は不安定になった。

私はそのような『生活からの不在』があるのであれば、責任を持ってビジネスはできるの？　その時に反駁ができなかった明白な論理性だった。弁護士は日本の病院と警察から書類を請求しないといけないと言った。私は日本の管理機関と連絡した。郵送で書類をもらうことができない。本人が窓口まで行かないといけない……

夫は何も起こらなかったかのように行動をした。それは彼が上手だった。

私たちは『ピアノカフェ』でのライブを再開した。レパートリーにはいくつかのロシアの深い曲を加えた。

神様、嘘吐きは口を閉じるようにして、
神様の指導は子供の顔に見えるように。
男性だとしても、女性だとしても、
イエス・ハリストスを見つけるようにして。

死ではなく、不老不死に向かう、
神様に頭を下げる時。
何も信用できない状態にならないように、
神様、少しでも神様をください。

神様、神様、神様、神様。

「尊敬する同名の人、有名な詩人の言葉を変えたのではないか？」シガーを吸いながら、もう友達になったレディが笑顔で言った。
「そうじゃない。それは遠慮すること。彼と会話をしようとした」

第二次世界大戦の三つの勲章受章者である私のお祖父さんがつい最近亡くなった。彼は第二次世界大戦を最後まで戦って、一つの傷も負わなかった。六人兄弟も戦争の最後まで戦って、みんな帰ってきた！　色々な新聞の記事になった。お母さんは強く祈った。

ほとんど動かない状態の曾おばあちゃんがいた。突然、彼女のふるさとである西ウクライナから電話があった。

「今日亡くなった……葬式は二日後」

夫は百歳の曾おばあちゃんが亡くなったと聞いた時、宣言した。

「僕は葬式に行かない！　仕事だから！」

私は言い張らなかった。

母に電話した。

「あそこから帰って来たばっかり。帰って来た時、祖母ちゃんが亡くなった」

「だから葬式に行かないの」

「いいえ。行けない」

「その時、ここで何をするの？」

「彼女のためにアカフィストや詩篇を読む」

「彼女を最後の道へ見送らないの？」

「いいえ」

「分かりました。さようなら」

とても寒かった。マイナス三十度に近かった。電車がよくキャンセルされた。私は何とか急行で行けた。

曾おばあちゃんはとても優しくて、思いやりのある人だった。百歳でとても良い記憶力を持っていた。親戚のみんなの名前だけではなく、みんながどんな生活を送っているのか覚えていた。誰がどんな問題をどう解いたかが、どんな予定があるのかをいつも聞いていた。家にはどこに何があるのか知っていた。ある日、私に聞いた。

「蜂蜜は取った？」

「はい」

「あそこの一番下の棚にあった蜂蜜だよ？」

「はい」

「嘘を付かないの？　見せて」

見せた。

「はい。合ってる。いいよ」

最後に会った時は一緒に『主の祈り』を読んだ。その後、彼女が聞いた。

「あなたは『主の祈り』だけを暗記しているの？　『聖マリア』も『常に福にして』も暗記しないといけない」

彼女は暗記して沢山お祈りをしていた。

……県の中心に着いた。そこからはまだまだ遠い。駅でタクシーの運転手が声をかけている。

「タクシー！　タクシー！」

「バス停はどこでしょうか？」と聞いた。

「行き先は？」

言った。

「あのバス停は街の反対側。三十グリブナ」

「近所のバス停からはもう走ってないですか？」

「いいえ。そのバス停からは市内だけです」

「分かりました。行きましょう」

「もしかしたら、行き先まで？」

「いくらですか？」

「百二十キロ。四百グリブナ」

「いいえ。高いです」

「いくらなら高くないですか？」

「どちらにしても、高いです。バスで行きます」

バス停に着いた。

「もしかしたら、行き先までの方がいい？」

「高い」

「キスだけ」

「結婚してから、夫以外キスしたことがない」

「結婚しているの？！」

「子供も二人いる」

「今はどこへ？　祖母ちゃんのところ？」

「はい。葬式です」

タクシーの運転手はちょっと混乱していた。私は続けた。

「もう百歳でした。みんなはそのように長生きできるように祈っています。私には大きな声を上げて一度も話したことがない。愛情いっぱいで育ててくれた…」

無事に市に着いた。そこからは歩くしかなかった。雪がいっぱい！　寒い！　周りは全く車が走ってない。でも、幸運なことに人の車に便乗して、もうちょっと進んだ。それで雪の吹き溜まりを歩いた。

曾おばあちゃんの家には沢山の親戚や地元の人がいる。話している、急がしている。

「市役所に行って、こう言われた。『祖母ちゃんのメディカル・カルテを預かって来てください』『だって、彼女はカルテを持っていないです』『何？　入院したことがないということ？』驚いていた。『いいえ』

家に二人の警察官が入った。

「検死に連れて行かないと」

「どんな検死？　祖母ちゃんは百歳で亡くなった。年だよ！　ボスにこういう風に書いて。『この人は年で亡くなった。括弧で百歳』と」

「証人が署名しないと」

「はい、みんな証人です」

最後の道に祖母ちゃんを沢山の地元の人達が見送った。雪が積もっていて、どんな車も通らない。馬車に馬を付けて、馬車に棺が乗せられた。埋葬式のために教会に行った。墓地はすぐ後ろ。死亡記事を読んでいる。『革命、内戦、それは彼女の幼少期だった。それから農業集団化、第二次世界大戦。夫が戦争に行って、その後死亡通知が届いた。小さな子供が二人……それから、自分の子供の方が長生きして、二人の葬式をした……』

神様のご加護がありますように……

……家に帰ったら、また十戒を壁に掛けて、娘達に言った。

「それは、娘達、神様の法律。もし人がそれを守ったら、戦争も起こらない、報告での三つ編みしている女の子も誘拐されない」

またお祈りと聖体、聖体とお祈り……

教会の売り場に近づいた。

「美徳のリストはありますか？　子供のために」

「罪のリストはあります」

「美徳についてはないでしょうか?」

何処にも無かった。何か隠されている形で『フィロカリア』のようなものだけがあった。でもそこは大人にでも分かりにくい。子供と若者に何を紹介するの? いい子になりたいのに、いい子に! でも、罪のリストを渡されて、痛悔をしなさい! 成長のためにはやはり美徳のリストの方がいいのではないか。自分の美徳で成長して!

誤解しないように、痛悔の必要性を控えようとはしない……

檀家の話が聞こえて来た。

「神父さんは、福島は彼らの罪のためだと言った! みんな彼に怒った! 日本人はどんな罪を犯したの? どんな罪?!」

あ、他の宗教の信者についてのお祈り。私は『敵』という言葉でいつも固まっている……

街を歩いて、他の宗教の信者が売り場に様々な本をただで渡している。

「どうぞ、これを読んでください」

「読みます」

「ここには、プラトンによるとどんな人でも中身は空っぽである、と書いてある」

「読みます。興味があることは全て読んでいますが、子供に全ては読ませてないです」

普通はこのような本を読むのはダメ。多分、アダムとイブが天国にいた時のように、それこそ何か悪魔のたくらみがある。『食べて、理解する……』 もう食べて、理解した。今は悪魔が口籠もって、コソコソ話している。『それは理解しないで、あれも理解しないで……』 多分、もう自分の命が心配になったんじゃない?

エレナを迎えに来た。学校で掲示されている絵を見た。

「あ、すごく綺麗！」私は憧れた。

「それはあなたの娘が描いたんですよ」と、隣にいた先生が言った。

「あ、すみません」遠慮して目を下げた。

「ほら！　客観的な事実！」先生が喜んだ。

教室に入った。クラス担任の先生が言った。

「そろそろ発表会です。エレナは何か動物についての曲を弾いてもらいたいです。どちらでもいいです」

「レパートリーには『マーモット』と『私はきつねちゃん、暇人じゃない』という曲があります」

「『マーモット』はどうでしょうか？」

「スターリンの大好きな曲です」

「『きつねちゃん』でもいいです」

『きつねちゃん』を選んだ。

「もう一つお願いがあります。自分の娘と宿題をしないでください。他の生徒はそのスピードだと間に合わないです」

私はその時、違うことについて深く考えた。

「引っ張るのは地獄からだけです。生徒さんは自分で引き上げないと」と、私は担任の先生に答えて、彼女を迷わせてしまった。

…発表会はとても楽しくて良かった。発表会後、両親と子供達はゲームセンターに行った。子供はみんな豊かで優秀な家族だ。それで、両親は芸術では食べられないと分かっていても、自分の子供には音楽の勉強させた。

子供達は遊んでいて、お母さん達は話している。

「今のところうちの学校に満足している？　息子はすごく学校が好きで、ある日カルパチア山脈のリゾートにスキーに行こうと思って、彼は私たちにこう言った。『二人で行ったらどう？　僕は学校に通いたい』

「まあ、それはうちの子供達の一般的な傾向みたいですね」

「ところで、この間ユーロヴィジョンのファイナルをネットで見た。うちのジャマラは行けなくて残念だった。彼女はやるんだね！」

「でも、彼女の歌はちょっとレトロっぽくて、ちょっと違うフォーマットだったかな。多分、だからこそ合格できなかった」

「いや、そんなに甘く考えない方がいい。そこには他の隠れた石がある」

「前は、ユーロヴィジョンちゃんは私たちの歌『一緒になら多い』で落とされた。その歌詞は他の西ヨーロッパの歌に似ていると言われた。盗作で訴えた。

「それは『ほら！　彼らも『アイ・ラブ・ユー！』と歌っちゃった！』と同じことだ！」

みんな大笑いした。

「まあ、審査員とジャーナリストには仕事の特徴がある。あるジャーナリストがうちの青少年合唱団にやって来た。子供達は喜んで、心を込めて『聖マリア、大喜び』、『主よ、憐めよ』を歌ったが、そのジャーナリストがこう言った。『何かもっと現代的な曲を歌った方がいいのではないか？　つまらないじゃないの？』」

「センスについては論じ合わないけど、もう論じ合った方がいいのかな。『センスがいい』と『センスが悪い』という定義がある。だからセンスも育てないと。でもそこはセンスの問題だけではなくて、ジャンルのこともある。ジャンルの対立もよく見られる」

「そうですね、私たちのエリートとこの上ないことで去らないように。それで子供の映画で『将来からのお客様』みたいにならないように。『今日はウルグアイの伝統的な音楽のコンサートです』『あなたの現在には何か新しいことはある？』『はい。ギタリスト・ロボットのコンテストです』」

「ところで、既にそのようなロボットのコンサートがある。東京にはロボット・バイオリニストのコンサートがある。そのようなイベントは神経が弱い音楽家にはお勧めできない。でもオーディエンスは集まっている。それを聞くために東京に行く必要はない。ネットで検索したら、聴ける」と、私は言った。

子供達はいっぱい遊んで、もう帰る時間になった。

……音楽大学の学生時代を思い出した。指揮の試験。

「私たちはオペラの曲を自分で選択するのを許可しました。あなたの深い霊的な興味を評価されましたが、やはりあなたは何かもっと広範囲で、もっと派手な曲を指揮したほうがいい。例えば、『イーゴリ公』のフィナーレのような曲です。大勢の人を指導すると、あなたの個性の方が輝く」

個性を輝かせる……神様に仕えるように自分の道を探す、見つける……

音楽学校でも音楽大学でも教師は「あなたは歌うべきだ！」と言っていた。

私は黙っていた。

ボーカルのマスター・コースでよく覚えた言葉がある。『お母さんになった歌手こそ成熟した、優勢である』

私はもう二人の子供がいる。多分、もう歌わないと？

ピリプチャク氏は私と『蝉のお祈り』をリハーサルした時、こう言った。「もしも、あなたが本気でボーカルのキャリアを積めば、何億も稼げる」

私は母のソロの演奏後、冗談がでてきた。『そのようなボーカル・ソロの後、もうボーカルを退職してもいいぐらいです』本当にそのソロ・パートはアイディアも、テッシトゥーラも、イントネーションも、内容も、複雑で深い曲だった。でもキャリアの成長がなくて、ボーカルを退職するのか？　何か寂しい。

心理学者の友達がよく繰り返していた。「人生には、したい、できる、するべきのことを合わせないといけません！」

私の結婚生活には『やるべき』以外は何もなかった。我慢するべき、こつこつやるべき、黙るべき。黙るべき……そうしたら、どうやって本気で歌えるの……


エレナは学力と実技技術の高い成績で喜ばせ続けた。彼女は地元の色んな音楽コンクールで一位になって、そしてヤルタ国際音楽コンクールのために準備を始めた。

地元のコンクールについて、パパにはもうコンクールが終わってから伝えたが。何となく、彼は妻の成功だけではなくて、自分の子供の成功にも嫉妬していた。ヤルタのコンクールについてはやはり予め教えないといけなかった。最初、パパはそれを聞き流すふりをした。

バイオリンの先生はエレナと新しい曲を練習した時、言った。

「ショスタコーヴィチの曲にします。それは派手な曲です。エレナは上手に弾けます。彼女はまだまだ幼いと自分で思っているみたいですが、彼女にもっとチャレンジさせようと思います」

「かわいそうです」

「かわいそう？！　彼女からいっぱいしぼれますよ」

「私も彼女に色々チャレンジさせています。多分、少なくとも、私の方からはちょっと優しくしないといけません」

エレナは難しいレパートリーは当たり前として弾いていた。彼女は子供にとってそれが実は難しいことを知らなかった。

旅が近づいて来ると、夫がもっとイライラし始めた。

「ねぇ、監禁の生活を繰り返した方がいいんじゃない？　何か僕はあなたがいつもいると目がちかちかする。

ウザい！」

「心配しないで、もうすぐヤルタに行く」

「ヤルタの話ではないよ。いるの？　あの人生の喜び。そろそろ新しい精神的な発作病状がでてくる頃だ。記録が重なれば、将来は安心。あなたはもうあの円から出られない。美女！　何かそれを忘れているみたいね。どうやって出られるの？　回し車のリス！　僕の金髪な美女！」

夢の中で曾おばあちゃんが出てきて、一言しか言わなかった。『生きることを急いで！』

その後何回か同じ夢を見る。私はキエフにいるか、日本にいるか、どこかへ行かないといけない。私は飛行機に遅れる。つまり、私はどこかに出かけようとしない、まだスーツケースの準備ができていないから。

アリナが言った。

「あなたは外国に行く予定はある？」

「いいえ」

「どちらにしても、それは旅だ」

第四章
桂馬

猛烈に怒った夫が診察室で叫んでいる。

「書かないの?! 彼女は社会にとって危険! 彼女は自分には危険! 彼女はいつも日本で入院していた!

それでも少ないの?!」

「今、ここで起こっている全てのことは夫がICレコーダーで録音しています」と私はコメントした。

「それは違法です」医者が言った。

「違法なのは保護者の請求を無視することだ!」また夫が叫んだ。「彼女が突然自殺したら、医者の責任になる! 無責任か!」

医者は夫の強迫に従って、バタバタした。

「入院のための紹介状です。あ!『キエフから出るのを禁止』も書きます。ヤルタに行くのもダメです!」

「何でですか?」

「あなたはそこで怖くなります。もしも私のいうことを聞かなかったら、そこの警察官があなたを入院させます」

私は何が違法かどうか医者に分かってくれるように、日本の事件について説明しようとしたが、彼女が私の話を切った。

「その話は誰にも面白くない! そしてそれは精神科に話す内容ではなくて、弁護士と話す内容です!」

「分かりました。そうしたら、みんなに面白くなるようにしないといけないです!」

「そしてあなたはあんなアイディアや計画について話している! あなたは博士論文を書いて、小説を書いて、歌を作って、日本語も含めて作詞している。あなたは大統領オーケストラと演奏している。それにしても、あなたは主婦。それは何か肥大した誇大妄想だ!それも薬で医療するべきだ!」

「ありがとうございます」

「何があなたをそんなに前へ進めるの?!」

「人生の欲望！生への渇望！」

さようならの代わりに言って、ぴしゃりと扉を閉めて、部屋から飛び出した。

おかげさまで、紹介状や推薦状以外に、その医者は何もさせることができなかった。私の日本の事件には誰も興味がなかった。記録は記録だ。でも、その記録は誰も見たことがない。

……ヤルタの旅はとてもポジティブな影響をもたらした。誰も私にプレッシャーを与えなかったし、誰も邪魔しなかった。ゆっくり考えて、予定を立てる機会ができた。

帰り道の電車の同伴者が手相占いをした。

「あなたは再婚する。子供？　多分、そのままになる。二人。ここははっきり分かりません。もし間に合えば

……」

「再婚だったら、それ以上、時間を伸ばさない方がいい。未亡人になるまで、待つだけの？　もしも逆になったら？　離婚しちゃダメ、離婚しちゃダメ！　生きている状態での葬式は大丈夫？！」と私は考えた。

夫が玄関から叫んだ。

「おまえはお金持ちの日本人みんなの愛人！」

まあ、お世辞として受けようか。

「あなたを持つのはフェラーリを持つと一緒。でも運転は正しくしないと！　何かあなたはイライラしているように見える。生理？」

「いつも生理」

「あなたの場所は精神病院！」

「離婚しよう」

「離婚はぜーーーーったい無理！！」

まあ、彼はイヤなやつ！　珍しい調！

生きている状態でゆっくり自分のことを葬式するの？　自分の子供も含めて、徐々に全てを失う？　それは魅力的な展望ではない。夫はウクライナでも落ち着かなかった。何が彼を動かしていたの？　その虚偽のメディカル書類の集まり？　実際に彼はどんな予定だったのか？

「夫はあなたについてのすごいストーリーを作っている。彼はヤキモチを妬き過ぎ」と私の知り合いが言った。

でも、私は夫の長年の行動をそんな簡単に説明ができなかった。

たまにはすごい結論が出てくる。頭の中のゴキブリでさえ立ったまま拍手する！　朝、夫が寝ている時、友達のビクトルに電話した。

「今はスーツケースを置いて、すぐ帰るけどいい？」

「全く問題ない」

二日後夫が落ち着いて来て、私は彼の波に乗って、色んなストーリーを小声でしゃべり始めた。一生の間、小声だけでしゃべるのはできないが、一週間の程度なら、大切なジャンプの前は、必要なのは必要。

「娘達、私はちょっと出張へ行く」

夫にはしばらくドバイに出稼ぎに行くと言った。

不思議なことに、このストーリーの出だしに彼は反対しなかった。私は航空券を予約した。でも違う方面で、片道。出発の日ははっきり教えなかった。ある日、夫が平和に寝ていた時、もう一切戻らないと思った国に行った。日本。でも今回は成田空港ではなく、関西空港だ。それから一度も行ったことがない街に向かった。リスクを取らない人、シャンパンもヘネシーも飲まない。

安いホテルに泊まって、数日間よく寝て、次の歩みはどうすればいいのかを考えた。

どこで働けばいい？　どんな分野？　やはりホテルで働こうと思った。経験もあったし。そこは外国語と日本語が話せる外国人も必要だ。サービス業の分野は日本では世界一だし、一流のことを勉強しよう。

私はすぐ大きな国際ホテルを目指そうとした。そこはスケールも大きいし、外国人も多い。

ネットで、この市にはどんな大きなホテルがあるのか調べた。以前、私は何も情報がなかった。知り合いもゼロ。

いくつかの相応しいホテルが見つかった。

これからは集中して、先にどちらに行けばいいのかを合理的に選択して、無駄弾ないように、すぐに採用してもらいたい。第一希望は全面的な範囲でやっと決定した。

私は履歴書と他の追加の資料を持って、花柄で長いフラフラの夏のドレスで実際にホテルを見に行った。玄関に入ったら、綺麗！　外国人のスタッフも多い。いいね！　あるスタッフに近づいた。

「人事部長とお会いができますでしょうか？　ご都合がいい時で大丈夫です。打ち合わせなしですが」

奇跡！　十分後もう人事部長と話している！　また奇跡！　翌日は来月一日から採用だということが知らされた。そんなに早くその問題が解決された！

賃貸の問題も早く解決した。でも一日まではまだ三週間ある。時間を無駄にしないように何がある？

突然スーパーでウクライナ人の女性に会った。彼女は言った。

「そんなに遠慮することはない！　あなたは派手な女性、日本語も上手！　夏は女の子のスタッフが国に戻って、スタッフが不足している。その三週間来てみたら？　うちのクラブでバイトすれば」

「どうすればいいの？」

「喫茶店みたいに座って、お客さんとしゃべるだけ」

「何でお客さんは喫茶店に行かないの？　安くなるし」

「そこはそのような相手がいない。だから美とエキゾチックのために支払っている。給料も高い。多分、あなたの昼の仕事に比べたら、いい方だよ。そこは歌うし。つまり、それはいい仕事。今日から行こうよ！」

それで行った。三週間だけ。

女の子はみんな綺麗で、身なりがきちんとしていて、楽しいそう。日本人マネージャーはすぐに一言で仕事の内容を説明した。

「フェイク・ロマンス」

何故日本の男性が偽りの付き合いのために支払うのかあまり詳しく理解しようとしなかった。義母と義父、夫との結婚生活も思い出して、自然な考えが出てきた。『それなら、たとえ偽りの付き合いがなかったとしたら……』

結婚前、私は誰かに気に入られないという考えは全くなかったが、十年間の結婚生活後、自己評価がすごく低くなって、もはや逆の考えになった。

ここは男性のお客さんが山ほど。来たら、話して、カラオケを歌って、ご馳走して、お世辞を言っている。私はすぐ日本語力と全面的なインテリで目立った。女の子はヤキモチを妬かなかった。逆に私について色々聞いて、写真を見せるようにお願いした。何枚かの家族写真を持ってきて、仕事の後に見せた。

「あなたは衝撃的な女！　彼もイケメン！」一番派手で活発なお姉ちゃんが言った。

「まあ、お世辞を言わない方がいい。彼は私を殴った。お金を出さなかった。外出を禁止した。それでも、それこそが愛と言っていた」

「今はウクライナにいるの？　精神科の救急車を呼んで、縛りつけさせて、精神病院に入れさせたら。ちょっとお金を出して、すぐやってもらう！」

私たちの場合は逆のパターンになったと言いたかったけど、黙った。

「エバ、意気軒昂だね！　またね！」

何か女の子の話や、冗談や、ただのお喋りなどを聞いたら、安心して、楽しかった。

仕事も仕事らしくないものだった。座って、色々な仲間達と楽しんでいるだけで、お客さんが少ない時はただ女の子達と喋っている。それでお金ももらっている。

月曜日。週明けの平日だから、クラブも暇だ。

「あなたはどうやってリラックスしているの？」アガタはいつもリラックスしている友達に聞いた。

「全く緊張しないだけだよ」

「私はお酒を入れて、それで全て平気」

「あ、香水を買った。最初はすごく気に入ったけど。今は香りが気に入らない」他の友達が話に入った。

「リナは香水に狂信的だった」三人目がコメントした。

「ディスコでディオールの香水で頭を洗ったことを覚えている？　香水が割れてしまって、そして彼女は香水を頭に振って、髪の毛に流していたの。『だって、いいものがもったいないじゃん』と言った」

「彼女はいつも遠くから香水の香りがした。彼女は香水を口にも足の間にもかけていた」

「あ！　舌にピアス？」アガタは相手の舌にダイヤが見えて、驚いた。

「舌だけじゃなくて、下にも」足の間を見せた。「二つのダイヤがある」

「男はどんな反応をするの？」

「自然な反応！　私は足を開くだけで、真っ暗の部屋でもすごい光！　男がすごい立ち！」

「私は男には結構フィルターがある！」

「私にはすごいフィルターがある。もう人生の終わりまで誰もいらない」突然私は話に入った。

「まあ、日本人の結婚生活はもちろん不幸だけど、日本の奥さんは夫から上手にお金を取れる」

「まあ、他の人生の喜びがなかったら。でも、日本の男に同情してもいいぐらいに偽りのできちゃった結婚。それは日本の女性の新しいファッションが出てきた。男には妊娠しちゃったと教えて、いわゆるできちゃった結婚をして、家族のために家を買わせて、それで夫に何でお腹はまだまだ大きくならないのかと聞かれたら、日本の奥さんは純真な目でこっそり話す。『子供はいなかったよ』と」

「私は息子も産みたい」ベレナが言った。「でも私をイライラさせないように、彼のパパはどんな人にすればいいのか。息子だけは欲しい」

「まあ、日本人も、日本人じゃなくても。でも日本は人間性の意味でやはりひどい。ある夜、オニルに会った。彼女は体にぴったりしたコート『ドルチェとガッバーナ』、めっちゃハイヒールで、ヘアーエクステンション！まあ、畑のスーパースター！　それで水溜りに転んだ！　私は彼女を立たそうとする。お友達！　自分は酔っ払い！　目は何も見えない！　それでも二人であの水溜りで横になっている！　ほら、うちのお客さん！『ハロー！』そのまま通った。その後、何で私たちを手伝わなかったのかを彼に聞いたら『もし僕があなた達を水溜りから出したら、遠慮するんじゃないの？』って」

私は新しい知り合いのお喋りを聞いて、言った。

「まあ、お姉ちゃん、一週間だけで私を膝から立たせた」

「誰があなたを膝に立たせた？！」イングリッドが驚いた。

「それは比喩的に言えば」

「あなたはよく言う！　まあ！　冗談を聞いて。『神様は男を作って、それでもっといいものも作ってもいいと決めて、女を作った！』」

「でもあの男達…ある日遅いお客が来て、始まった。『何でその人はそれをしない、あの人はあれをしない？』

マネージャーがすぐ賛成した。『そうですね。フィリピン・クラブに来たら、フィリピン人はお客さんの手も足も触ったり、日本のクラブでもそう、プラス楽しい話。ウクライナ人とロシア人は全く違う。足を組んで、距離を置いて、タバコを吸っている』でもお客さんは見た目でウクライナ人とロシア人の方が好みと言っている」

「そうしたら、性格にも慣れないと。レストランに連れられて、始まっている。『これを食べて、それを飲んで』私は『それは好きじゃない』と言っている」

「そうよ！」

マネージャーが来た。

「お客さん来たわ。エバ、行って。彼すごい早口。彼の日本語誰も分からん。彼に合わして」

「彼の職業は？」

「デンティスト」

「はい」

お客さんに近づいて、挨拶する。

「こんばんは」

「こんばんは。ここは長い？」すぐ聞いた。

「日本ですか？　クラブですか？」

「日本」

「生まれたころから」

「クラブは長い？」

「二週間」

二時間ぐらい普通の話をして、エロティックな話題は全くなし。彼は突然、

「あなたは私をすごいかき乱した、もうズボンに入らない、もう冷静に隣に座れない。バイバイ！」突然立って、支払って、帰った。

クラブではその時間まで沢山のお客さんが入っていた。私は楽しい仲間達とは違うテーブルに座った。喋ったり、笑ったり。

「外人は宇宙人みたい」日本人が言った。

「外国人もあなた達は宇宙人と思っているの？　でも、やはり問題は言葉の壁」

「うちらはどうすればいいん、どうやって話を始めていいんか、全く分からん」

「私とどうやって話している？　普通じゃん」

「そうだ！」

「でも彼女と頭の切り替えはよしな！　お笑いのトックショーで働いてないん？」と、他のお客さんが聞いた。

「まだです」

「日本は好き？」

「私は好きだけど。ところで前夫は日本人で、日本も日本人も好きじゃなかった。言っていたのが日本人と話す話題がない。いつも同じ話」

「すげえ！　せやけどな、せやで！　質問とかせんでも、もう答え知ってるわ。日本の女性もいつも決まった流れで話す。でも、エバは次に何を言うか分からん。それこそおもろい！」

「はい、はい。エバは百科事典とコメディアン」と通ったマネージャーがコメントした。

ところで、クラブには私はもう離婚していると言っていた。それも仕事の内容だった。私は離婚している女性として自分について、色んな意見とコメントを聞くのが面白かった。

三人の外国人のお客さんが入ってきた。

「外人？　大嫌い！」ある女の子が怒った。「ここに来て、誰かが彼らとファックすると思っている。それは多分、日本と韓国だけ、クラブに来て、女の子と話すことしかできない。もしも、私を座らせられたら、ウイスキーのボトルを頭に流す！」

パーティーは盛り上がった。もう中年の男性と座っている。

「どんな女性が好き？」全く普通の質問を聞いた。

「セクシー……」

「日本の男性は本当のことを滅多に言わない。クラブの雰囲気の影響かな」

「でも女性のタイプを聞いている時は、今は決まったタイプがない」

「そうですね。タイプは、それは魚や肉の品種みたい。私もいわゆる『好きな男性のタイプ』がない」

「連絡先を交換しませんか？」

「もちろん」

「私は迷惑をかけないように電話をあまりしない、ショートメールだけ」

「迷惑をかけることはない」

「念のためです…」

隣に座っていたアリナはニコニコした。

「まあ、彼はフィニッシュ」

クラブに背が高い男性が入ってきた。自信に満ちたリラックスした歩き方で。ちょっと長めの髪には白髪も見えた。私の目に止まった…

マネージャーが仲間達のテーブルから引っ張った。

「エバ、フリー」

「まあ、行って、行って！　彼と話して、シェヘラザード」アリナが私に言った。

マネージャーが新しいお客さんのところに連れていった。

「こんばんは。エバです」

「長島です」

「すみません。早速言いたいですけど、あなたが入って来ただけで、すぐ注目してしまった。あなたは自信に満ちた男性。話したかったです…」

「お世辞じゃない」

「そういうことはない。私は本当にあなたと話したかった。その機会が出来て良かった」

三分以内で。

「あなたは男性とお話が上手。頭がいいし。ここで何をしているの？」

「バイト」

「何か人生の悩みがある？」

「悩みがあっても、悩むのは好きじゃない」

「僕もそうかも」

「私たちは、多分、人生の最初と最後に会うかも」

「悲しい話だね。電話番号を交換しようか？」

「もう一度お名前を聞いていい？」

「長島太郎」

「なんと呼べばいいでしょうか？　長島さん？　太郎さん？」

「愛する人」

「そうしたら、下の名前で。太郎」

「僕はあなたの愛する人になりそうですか？」

「ちょっと難しい。住んでいるのが遠すぎて、会いにくくなる」

「メッセージなどは気持ちも感情も足りないでしょうね」

「はい」

「僕のところに引っ越す？」

「私はこの街で仕事を始めたばっかりです。あなたも仕事を辞めないでしょう？」

「まだ難しい」

「本当に結婚したことがないの？」

「ない」

「何で？」

「誰にもプロポーズをしたことがない」

「そんなにエゴイストなの？」

「いい相手がいなかった」

「多分、そのための時間がなかった」

「僕はあなたの彼氏になりそう？」

「いいえ。結婚に興味ないからです」ニコニコした。「でもあなたのことが好き」

「あなたはセンスがいい」

「あなたのことが好きだから？　あなたもセンスがいいよ。子供はいますか？」

「いいえ。あなたは？」

「います。顔の表情が変わりました？」

「あなたはすごく楽しい、浮力がある。僕も楽しく人生を生きたい」

「あなた次第」

「僕は非標準な考え方」

「そう見えるよ、それこそが魅力的」

その日はクラブも閉まるところだった。お別れの挨拶。

「今度はあなたの考え方をもっと知りたいです…」


何となく、私は自分のレギュラーのお客さんができた。彼らはとても様々だった。例えば、一人は愛を告白する練習していた。

「愛している」と私に言った。

「それは三回目のデートの時に言うんですか？」

「長く考える必要はない！　男は、普通は一回目か二回目かそれを分かっている」

「そうみたい。夫も三回目のデートの時、愛の告白をした」

「だから結婚してくれる？　僕は片づけも料理も自分でできる」

「まあ、結婚はしたくないね。疲れた。結婚の連想に悪いイメージを持っている」

「まあ、分かった。こうしよう。僕は三ヶ月間あなたに愛の手紙を書いて、あなたの世話をする。もしもその間にあなたに愛の気持ちがなかったら、諦める」

「何でそんなに早く？」

「それは早い？　自分の気持ちが分かるために三ヶ月は十分。その後いくら頑張ってもしょうがない。家には全てローラアシュレイにしたい？　他のブランドはいらない？」

「家のためにローラアシュレイはぴったり」

「問題ない。そうしよう…」

そのようなクラブのお喋りだった。

私はクラブで歌った。女の子はいつもこのように褒めていた。「あなたを叱るべきだよ！　何で今まで自分のCDを出していないの？」

マルレンが言っていた。

「エバがステージで歌っている様子を想像した。男性は彼女を目で脱がせている、脱がせている…」

マネージャーはあるレギュラーのインテリに見えるお客さんのところに連れていった。

「はい！　あなたは本当に一番。紹介された通り」彼が言った。「僕はもうそのホステスのお喋りに飽きた。文学も芸術も哲学についても話したい。あなたとはそれができる。もっと近くに座って。一緒に音楽を聴きましょう。キスしてくれる……？」

「そこにあんたのお客さんが持ってきた袋あるで」クラブが閉まる前にマネージャーが言った。

「はい、持って帰ります」

「あ！　色んな食いもんがいっぱい！　何個かちょうだい。めっちゃ腹減った！」

私はそのような『スラヴニク・シンプリシティ』が楽めた。

私の三週間は終わりそうだった。マネージャーのところに行って、もうお別れをしないといけないと言った。もうすぐ本当の仕事を始めるからだ。でも彼は突然お願いした。

「やめないで！　あなたはお客さんにすごく人気。残って！　来れる時だけ来て。完全にはやめないで！」それで時々来ると決めた。実はそのようなクラブにそのような優しいマネージャーがいるのは想像できなかった。彼はお酒を飲まなくてもいいと言って、変なお客さんとも座らせなかった。

ホテルの仕事は研修から始まった。それは自分自身にとっていいことだ。ホテルは大きく、お客様がいっぱい。いつも誰かと話さないといけなかった。朝から夜までコミュニケーションばかり。私の結婚生活とは正反対だった。今、人生は本当に躍動していた。私はコミュニケーションが大好きだった。国際ホテルで働くのが、多分、一番正しい選択だった。なぜなら、日本のスタッフは外国人も人間だと分かっているからだ。

その後ホテルのマネージャーが言っていた。

「人事部長とあなたを見た瞬間、すぐに言った。『あの金髪な人を見た？　きっとうちの部署に入るよ』」

私のマネージャーはとても元気で、派手なコレリックな気質の人。彼と働くのがすごく楽しかった。

研修中、コンシェルジェ部署のスタッフが一人一人私にトレーニングをさせた。みんなはとても元気で、明るい性格だった。なぜなら、多分、コンシェルジェ部署で違う性格では働けない。突然に現れたり、去ったりするお客様のお願いや質問などに適当に言語を変えながら早く対応しないといけなかった。それでいて一流の国際ホテルのスタッフとして、いつも礼儀正しく、優しく答えないといけなかった。

「ハウスキーピングのおばちゃんたちとも優しくして」とコンシェルジェのスタッフは知恵を教えている。「いつも笑顔で挨拶して。もしもあなたが鍵を持っていなかったら、また笑顔で鍵をお願いしてね。下に行かないように。彼女達が持っている。いつも助けてくれる」

「私は外国人だけど、いいの？」

「そんなの関係ない！」

彼女はとても元気なスタッフだった。自分のことをビジネス・ウーマンと呼んでいた。ある日、彼女の顔を見て、言った。

「顔はいつも表情でいっぱい。眉毛もいつも飛んでいる、あちこち、あちこち」

「素敵でしょう？」ニコニコした。

電車で仕事帰り。電車内は若い男性が楽しく喋っている。私の隣に座った人が遠慮なく話かけた。

「誰が一番イケメンやと思う？」

私はみんなのことを見て、黙っている。

「もし俺やったら言って」彼は我慢できない。

「そう言うよ。あなた」

「やった！　日本ではどこが一番好き？」

「ここ。関西」

「お！　何で？」

「ここは人がいい。人間性がある。例えば、この電車内の様子とか初めて見たし。お兄ちゃん、あなたたちはすごく素敵！」仲間たちに言った。

「お、ガイズ、ちょっと移動しな！　彼女そろそろ怒るわ」

電車内に女性が乗ってきた。六人用の座席で、五人がゆったり座っていた。彼女は詰めてもらうように礼儀正しくお願いした。

彼らは詰めた。空いた座席には隣に立っていた男性がすぐ黙って座った。女性が恨めしそうに目を見ようとした。彼は早めに視線をそらした。彼女は彼の前で立っていた、彼はずっと目を隠していた。結局、女性は他の車両に移動した…

日本の公衆トイレに入って、日本語のサインを見た。『トイレットペーパーは持ち帰り禁止』まあ、とても自然だね。

仕事帰りは二時間ぐらいクラブにも寄った。それは大変ではなかった。でも、すぐホテルとクラブのお客様の間に大きなコントラストが出てきた。

クラブで若い男性と話している。彼が自分のセックス経験について自慢している。

「俺は女の人をベッドに誘うん全く問題ないで」

「それはどうやってやるの?」

「普通にこう言ってる。セックスしようって」

「彼女は、普通は何て答えるの?」

「はい、しようって」

「本当? そんな会話全く想像できない」

「まあ、俺もセックスがいる、彼女もセックスがいる」

クラブには私のダイヤのお客さんが入ってきた。見た目はその若い男と全く違う。お話は?同じ。

「日本のクラブにいる時、日本人がよくお客さんの世話をする。何回か会って、もう一緒にホテルに行くとか…」

「今も日本人を呼べば? うちのクラブにもいる」

三人の日本人の女の子が座ってきた。

「何であなたの毛根は黒くないの?」一人が私に聞いた。

「地毛だから。その色。自然な色です。自分の。黒くない」

「そんなことがあるの？」

「自分でよく見て、あるでしょう」

それから注意深くダイヤのお客さんを見た。

「まあ、あんなネックレス！　あんな時計！　その時計のために私は寝る」

「私は三回でも寝るよ！　何でも！」

「すげえ！　あなたは？」驚いてダイヤのお客さんが私に聞いた。

「私はお金と寝るのができません」

「愛がいるの？」

「はい」

「愛は肉体的な関係なしである？」

「そうしたら、それは、愛ではないです……」


私は愛を待っていたのかな？　いいえ、待っていなかった。私の心はもう長い間石だった。でも、キューピッドはそれを信じられなかった。

土曜日だった。お客さんがいっぱい。ほとんどの女の子が忙しい。私とイングリドは暇になったばっかり。背が高くて、スポーツ系の体格の男性が入ってきた。マネージャーがイングリドを呼んだ。彼女はメッセージを書いていたから、私が行くように頼んだ。

「エバを呼んで」

私は嬉しかった。その男性が気に入った。彼に近づいて、思わず彼の手を握った。彼は私の手を持っていた。

「すごいスポーティー」彼に言った。

「好き？」

「好き」

二人は何年もその出会いを待っていたように話した。ずっと見つめ合って。彼に憧れた。彼にうっとりしていた……

「キスしてくれる？」突然に彼が聞いた。

私はすぐ断ろうとした。

「難しい、私の口紅が……」でも彼は私の言い訳を聞こうとしなかった。私が周りの全てのことを忘れてしまうほどに、彼が私を飲み始めた。

初めてのキスはどのぐらいだったのか分からない。たまには短い会話のために休憩をしていた。

「僕はもう四十五」

「私は三十七です。若く見えるだけ。結婚している？」

「独身」

「あなたは独身？　それはちょっと」

「離婚している」

「本当に離婚しているのか、それとも別居ですか？」

「本当に離婚している。あなたは？」

「別居です」

「子供はいる？」

「二人。あなたは？」

「一人。一緒に暮らしたい。離婚する?」

「そのために離婚しなくてもいいんじゃないですか?」

「一緒に暮らす、結婚するということ。離婚する?」

またキスしている。

「私に近づいた時…あなたを見て…やっと見つけたとすぐ分かった…あなたが大好き…それこそ一目惚れ
……」

「私の人生にもう男性はいらないと思っていた」

「でも、僕と出会った」

「はい」

……三時間ぐらいクラブでキスした。その後マネージャーに叱られた。

「キスはダメ! うちのクラブは違う雰囲気! それでクラブの評判はどうなるの?!」

「すみません。ちょっとリラックスし過ぎた……」

翌日、日曜日、私はホテルに出勤。

私は興奮し過ぎて、出勤時間を間違えた。何とか大丈夫になった。

愛する人からの電話に出られなかった。私はもう迷わず彼のことを『愛する人』と呼ぶの? メッセージを送った『寂しいよ』と。彼はすぐに掛け直した。

「あなたにいつ電話していいのか、分かりません。いつどこに誘っていいのかも分かりません」

「週末私はいつも働いている。それはホテルのビジネスです」

「僕のことをいつも考えている?」

「いつもはできない。仕事のことも考えないと」

「あなたのことをずっと考えている。僕と結婚したら、クラブの仕事を辞めないと。すごくヤキモチしている！」

「もちろん辞める。でも、昼の仕事は禁止されない？」

「いいえ」と突然に言った。「あなたは料理が上手だと思う」

「私はまだ何も作っていないのに」

「肉じゃがを作ってくれる？」

「作るよ。いつ会える？」

「本当に僕と会いたいの？」

「お互いだったら、はい」

「日本人はそれを言わない」

「お互いだったら、はい」電話でコソコソ話した。「それで、明日の予定はどう？」

「六時に家まで迎えに行く」

「素晴らしい」

……住宅の近所にはヨーロッパ製のスポーツカーが停まっている。運転手は背が高くて、スポーティーな男性。出会った瞬間から彼のことを見るだけで、溶けてしまう。

車に乗って、驚いた。

「何でそれを着ているの？」

「明日は仕事」

『早い男。二回目のデートなのに』と思った。

彼はすぐに色んなホテルを回ろうとした。

「今降りて、タクシーを呼んで、帰る」と厳しく彼に言った。

「分かった」

「ここはお寺がいっぱい。お寺に行こうか？」

「お寺には興味がない」

『誰と知り合った？』と思った。

その日、私たちは一緒に夕飯を食べた。クラブで彼に一曲歌った。

「すごい発声！　一目で玄人だと分かる」

「あなたもボーカルを勉強したことがある？」

「僕は経済学者」

「経済学者？！　義父と一緒。彼は頭の中は数字だらけ。プラス、マイナス、経済、不経済、パーセント」

「もうあなたは綺麗で、頭も良くて、才能もあるし、キスもゴージャス…それは珍しい組み合わせ！」

「あなたのことを甘やかしてしまったね！」

「もっと甘やかしてよ」

「そうするしかない…」

翌日は電話で話す。

「夜は一緒に過ごせる？」

「どう答えればいいのか分かりません」

「一緒に寝よう」

「それを答えればいいということ？」

「悪い意味はない。あなたと長く居たいだけ」

私は話題を変えた。

「あなたに写真を送った」

「笑顔がすごく素敵。あなたは怒らないの？」

「何を？」

「まあ、寝る…多分、あなたは何か違うことを考えた。でも僕は寝るだけと言いたかった。日本語でその言葉は色んな意味がある」

「どんな言語でも、その言葉には色んな意味がある…」

「あなたはすごく疲れる、僕もすごく疲れる、ベッドで何ができる？　寝るしかない」

「一緒に寝る前に、しばらく付き合わないといけないと思わないの？」

「そう」

「僕はあなたにすごくヤキモチを妬いている！　クラブには男性がいっぱい…僕は本当にあなたの選択？」

「僕もあなたの夫みたいに言いたいね。あなたも家にいて、僕も家にいる…パソコンの仕事をする」

「大変！」

「夫とほとんどいつも一緒にいた。ほとんど二十四時間、毎日」

「はい。もう普通に働こうね。ずっと家にいる必要はない」

「あなたは離婚する？」

「夫はもう歌い終わった曲」

「でも法律的には彼がまだあなたの夫」

「それはただの手続きが終わっていない離婚。ところで、夫の写真」

「男前だ！　彼の方がハンサムだと思う」

「そう思わない方がいい。夫との関係で痛み以外何も残っていない。疑問のないように、この書類を見て。それは病院から、それは警察からです」何枚か彼に見せた。

「あなたはそのような状態だったの？　いつ彼との離婚手続きが終わる？」

「準備中」

はい、法律的な離婚手続きは、今回日本に来た目的、早くはできなかった。先ずは生活の基盤を作らないといけなかった。

弁護士費用も稼がないといけなかった。できれば、念のためにちょっと貯金も。書類を少し集め始めた。全ての機関には本人として行かないといけなかった。書類は窓口で本人にしか渡されなかった。

関東ではいつも辛かった。嫌な思い出はとても鮮やかで、前あったことがまた繰り返していると感じた。関西に戻るとほっとした。

鮮やかな過去の思い出で心の中はまた沸き返った。もしもできれば、私の過去から夫との関係をハサミで切りたかった。それから将来にしっかりしたガードを置いておけば、彼はあそこにどんな形でもどんな理由でも入れないようになって、安心します。


私の短期の旅は長くなった。ある書類を中々もらえなくて、数ヶ月かかってしまった。

書類が集まれば集まるほど、やる気がなくなりそうだった。この汚いことを裁判所で話さないといけない？

そうするしかない……

「娘達、ちょっと遅れる」子供達に電話で言った。

「ママ、早めに来てね！　いないとすごく寂しい！」

その後は夫が自宅の電話を切って、子供の携帯電話番号も変えた。私の親戚と会うことを禁止した。次女をキンダーガーデンにさえ連れていかなかった。

彼女はいつも家にいて自分で自分のことをしていた。長女も自分のことを自分でしていた。おかげさまで、学校に通うのは禁止されなかった。

夫は私のメールや電話には返信しなかった。私は無理なことをしなかった。次の大きなジャンプのために体力をためていた。

愛する人を自分のことで迷惑をかけたくなかった。多分、それは間違いだった……

…私が働いていたホテルではロシア人のお客様も多かった。私が働く前は、ホテルスタッフは想像もできなかった。ロシア人の奥様と日本で行うメディカル・シンポジウムに来たドイツ国籍のロシア人の医者が言った。

「日本人はすごく閉鎖的です。それで日本は自殺が一番多い国です」

「やはりそうですか？」

「私たちは医療分野です。うちの情報源には信頼性があります……」

仕事帰り。愛する人から電話をもらった。

「今はどこ？」

「電車のホーム。でも電車が停まっている。誰かがレールに飛び込んだ」

「まあ、日本ではよくあること。不満が多い。ウクライナは？」

「ほとんどない」

「明日は会える？」

「はい」

「僕と寝る？」

私は笑った。

「もしも僕と寝なかったら、僕もレールに飛び込むしかない」

「そこまでしなくてもいい」

「でもあなたは僕と寝ない、逃げる」

「焦らないで、逃げない。あなたも逃げないで、出会えて嬉しい」

「あなたはいつも断っている……」

翌日、彼は一言もない。仕事後、彼に何回か電話した。彼は出ない。メッセージを送った。『怒っているの？

私は結婚してから、夫以外と誰ともキスでさえしなかった。焦らないで……』

一時間後、返事が来た。『エバ、あなたはもう僕の。もう心配することはない』

今度、私の出勤後に、私が働いている大きなホテルの一番ゴージャスなレストランで会った。

デザインも雰囲気もサービスも、全て私のセンスにぴったりだった。ディナーを注文した。ワインかシャンパンはちょうど合っていたけど、お酒なし。愛する人は車だった。私はお酒で酔っ払いたくなかった。

スナックを持ってきてもらった。

「車だけど、このような場所で全くお酒なし…ビールをお願いします」彼がウェイターに言った。

「あなたの過去についても聞きたいね」と私は言った。

「僕の娘の写真」

「可愛いな！　よく会う？」

「滅多に会えない。月に一回ほど。離婚後、日本では普通のこと。ところで、もう弁護士と話した？」

「まだ相応しい弁護士が見つかってない。必要な書類もまだ揃ってない…」

二人は黙った。

「僕のことはよく考えている？」

「もうほとんどいつも」

「僕は働いている時も、ずっとあなたのことを考えている。エバ、今日ここで泊まろうよ」

「それは私の評判に悪い影響になる。このホテルで働いているから」


そして、また長い別れのキスしかなかった。また彼とデートの後、頭が働かずに、また自分のシフトを間違えた。

でも今回は二時間前に来た。

スーパーバイザーは、若い日本の女性で、私の友達、聞いた。

「嬉しい、嬉しい。珍しい。いつもギリギリに来ています。今日は二時間前。よく働くのが好き？」

「ほとんど」

「まあ、須田さん、嬉しい」からかっている。

「まあ、須田さんは言いやすいけど、私が考えているのは、やはり名字を変えたほうがいいんじゃない？」とコソコソ話した。

他のスタッフがやってきた。

「エバ、もしあなたが髪の毛を下ろしたら、どうなる？」

「こうなる」動作で表した。

マネージャーがやってきた。

「お！　違う化粧！」

「派手過ぎ？　落としてきます」

「いいえ、いいえ。昨日またあなたについていい評価をもらった！　お客様があなたのユーモアでとても楽しかったと言った！　ミステリーのレポートにもいいことが書いている！　高い評価！」

他の部署から日本人の女性のスタッフがやってきて、英語で手紙を修正するように頼んだ。その後は憤然として言った。

「外国人は何か書いたら、どんな返事をするの?!　怒るしかない！」

観光客が来た。中国人のスタッフは驚いた。

「中国人と言われたのに、台湾から来たよ！　顔だけでも分かるんじゃない、中国人ではない！　でしょう?!」

「私に聞いているの？　あなたにもヨーロッパ人はみんな同じ顔をしているんじゃないの？」

「まあ……そう」

アジア人のお客様はよくおかしい質問を聞いた。

「あなたは純粋な日本人ではないでしょう」


ネットを開いて、ウクライナ語でウィキペディアのページを見ている。

「それはどんな言語？」中国人のスタッフが驚いた。

「ウクライナ語」

「すげえ！　どうやってそれを書くの?!」

「それはキリル文字。ウクライナ語にも、ロシア語にも、他の国の言葉にも使う」

「それを覚えるのが大変！」

「その大陸では、漢字が大変と思われている！」

「漢字って何！　パッパと書けた！」

街には大きな国際的なイベントが行われている。一流ホテルは、うちのホテルも含めて、満室だ。外国人のお客様がクレームしている。

「ここではとても大きなイベント！ 世界中の一流の銀行のリーダーが集まっているのに、エスコート・サービスがないのはおかしいよ！ それをすごく期待していたのに。僕達はよくリラックスをしないといけないし。何か似たようなことをお願いしてもいいですか？」

VIP のお客様にはどう答えればいいの？ このようなサービスは VIP のお客様に対してもやはりないよ。本当にそのようなサービスはホテルのサービスには含まれていなかった。いわゆるぽん引きは誰もしなかったが、お客様が呼んだ売春は、女性も、男性も、誰もキックバックしなかった。

「お！ また売春」日本人の女性のスタッフが玄関に入ってきた女の子についてコメントした。

「どうやって分かるの？」

「外見で、服で。もちろん可愛いでしょうけど」

私の意見では彼女は可愛くなかった。

日本の売春（売春こそ、ホステスや芸者ではなくて）、見た目は挑発的ではなく、派手でもない、逆に従順で地味な人。でも、スラックス・ベイに……

「うちはいつもあるおじちゃんが泊まっている。毎日違う女と」とスタッフが言っている。

「情報がいっぱいね！」

「まあ、彼はそういう人です」

夕方に愛する人からメッセージをもらった。『エバ、チュ。おやすみ』

彼に電話した。

「あなたもおやすみ」

「僕はまだ寝ない。いつも働いている」

「なんで？」

「夜中も働いている」

「それはどんな仕事？」

「まあ、夜しかできない仕事もある」

「寝るのはいつ？」

「ほとんど寝ない。一日は二、三時間。あなたは僕と寝る？」

「ずっと、ずっと…」

…仕事は日常。仕事、仕事、いつも仕事。クラブのお客様と喋ることもいわゆる仕事。クラブにはたまには顔を出していた。

古いお客さんと喋っている。それで遅れてお客さんがやって来て、早速始まった。

「外人が嫌い！　話す話題が一つもない！」

「彼女と話して！」彼の友達が盛り上がってきた。

でも、会った瞬間、遠慮なく目の前であんな侮辱する相手とどんな話ができるの？

それで私はこの失礼なお客さんには冗談抜きでシェリングの哲学や、テュッチェフの詩や、いわゆるプラトンの「エッチ会」を話し始めた。

「ここは何？　クラブ？　哲学セミナー？」

「あなたは私と軽い話だけするつもりだったの？　私と自分の脳をしぼるのが難しいのであれば、二人目の自分もしぼらないで。私を変えて！」

「あなたを変える?」彼の友達が私を応援した。

「後で誤解するんじゃ…」

それで、彼らは勇気を出した。一人はきっぱり宣言した。

「日本の女性が嫌い! 僕はいつもそのまま言う。『世界中であなた達が何で人気なのか知っている? 全てオーケーだから。浮気、暴力、夫が遅く帰ること。自分の奴隷のことで人気なんだよ! それは恥ずかしい!!!』

「どんな国にも長所も短所もある。でも、日本で全てそんなに順調だったら、何でこの国には自殺のレートが一番高いのですか?」他の質問。「もしも日本がそんなに豊かであれば、何で世界中には日本の売春がそんなに多いの? それで個人的な質問も聞いていい? 誰が結婚生活で幸せ?」と私は聞いた。

黙っている。

「奥さんとの会話がある? 話している?」

「ほとんどしない」一人がみんなの代わりに答えた。

「子供達と話している?」

「何について?」

「日本のたとえ話を言います。現代的な」突然に他の日本のお客さんが始めた。

『地獄の門の前に日本の死んだ人々が立っている。

「いらっしゃいませ、いらっしゃいませ」礼儀正しく鬼たちが地獄の門を開けている。

死んだ人々が入った。

「いらっしゃいませ、いらっしゃいませ」もうちょっと上位の鬼が死んだ人々の前で頭を下げている。「これから色々な宴会室を見せます。あなた達は日本の死んだお客様だから、ご希望通りどんな地獄の宴会室でも選んでいいですよ。はい、どうぞ、初めての宴会室です」

宴会室の扉には日本語で書いてある。『ゲヘナ火』

「もしも今すぐ希望者がいらっしゃいましたら、こちらの宴会室に早速どうぞ」

まだ希望者がいなかった。

「はい、次の宴会室へどうぞ」礼儀正しく鬼が紹介している。

宴会室の扉には看板『嫌な悪臭』

こうして使用人鬼が次々と宴会室を紹介した。

「では、どこへ行きたいのでしょうか？」紹介が終わってからまた鬼が礼儀正しく聞いた。

「天国へ！」一人のお客様が文句を言おうとした。

「すみません、あなたの希望を尊重しますが、天国へのお願いは無理だと思います。議論が多かったですけれども、『雲の糸』、以前は地獄から天国へ行ける道が、もう切ってありますから」

「そうしたら、また地球の世界！」他のお客様が文句を言おうとした。

「お客様のご希望はとても尊重していますが、大変残念ながら、地獄から天国にも、地球の世界にも道がないです。けれども日本の死んだお客様ですので、ご希望通り地獄を選択ができます」

死んだお客様が黙っていた。

「もしもはっきりしたご希望がないようでしたら、皆様を『ゲヘナ火』へご案内させていただきます。こちらの同意書に印鑑を押してくださいませ。そうすると同意するという意味になります」

「どうやって押すの？」

「今回は血でお願い申し上げます。日本の印鑑の色でございます。我々は指切りのサービスもございます。こちらにお並びくださいませ」

それから鬼女が出てきて、シュューッと言った。

「指切りの後、血は絶対に止まりません。もしも喉が乾いたら、自分の血をお飲みくださいませ」』

「何しているの?! 何このお喋り! 地獄、天国、天国、地獄!」またいわゆる一番礼儀正しいお客さんが話に入ってきた。

「まあ、いいよ、話題はちょっとこの世に下がりましょうね」彼の友達が賛成した。

「だから、お互いに話すべき」と私は続いた。「奥さんとも、子供とも。外だけで、言葉でも、他のものでも慣らすだけ……」

私のいわゆるクラブのレギュラーのお客さんが入って来た。

「サッチャーを知っている? イギリスの首相! 鉄のレディ。あなたも鉄のレディ! いいえ! あなたは鉄じゃない! ダイヤ!!」

「ダイヤ? キラキラしている、鉄の方が強い?」

「そうよ! あなたとは大変! あなたにアプローチするよりも、エリザベス王の方が! もっと難しいレディに会ったことがない! 世界にはいない!」

「あなたにとても感謝している」

「感謝。はい。それで? もう僕の友達がからかっている。関係はどこまで進んだかと聞いている。彼女は僕の手を握ったと言った」

「何も言わない方がいいんじゃない」

「もう言わないよ。もう会ってないと言っている。東京に行くの? はい、どうぞ。新幹線代。まあ、僕はバカ、アホ! もう沢山お金を使ったのに、何もならないと分かっても、もっともっと使っている!」

「ありがとう、でも何も返すことができないから。借金はいいです」と断った。

「どうぞ、どうぞ!」

「私は大丈夫。まだ何とか貯金もある」

「はい、どうぞ。心配させないでください！」

「でも……」

「受け取って、黙って、安心させて！！！」

私は裁判のための追加の書類を集めるために本当に時々東京に通っていた……


その後、若い男性のテーブルに座らせた。彼らはいつも愛の話。

「英語やったら『I love you』日本語に訳すと？」

「愛している」と訳した。

「でも日本人『愛している』は直接言いにくいわ。『大好き』の方が言いやすい。それも似たような表現」と一人が言った。

「まあ、『大好き』も似たような言葉や。本人やイントネーションや場面次第。でも、日本人は今までも自分の気持ちをあまり見せへん。恥ずかしがる。我々は白人に比べると見た目あんまよくない。例えば、日本人は足が短いやろ」

「それで…」

「顔が広い」

「他の悩みは？」私は優しく微笑んだ。

「は、は！」

「外見についてはそんなに考えない方がいい」

インド人のテーブルに座らせた。一人は私の手を見て、言った。

「人生で二回結婚する。二回とも愛。はい、全て大丈夫……」

また移動。

「見たら、あなたはここに毎日いる人じゃない。趣味みたいな形」と日本人が言った。

「よく見るのね。見るとあなたは豊かな生活を送っている。奥様も、当然、働いていないね」

「はい、子育て。でも、働こうとしている」

「何をするつもりですか？」

「何かバイト。彼女は何も専門がない」

「それは夫には安心だ」

「そうね。日本人の男性にはそれが安心」

またルース・ベネディクトの本からの引用文を思い出した。『夫の本棚で埃を拭いた後、夫の本を正しく、逆に並べないように、日本人の女性は外国語の勉強を奨励した』やはりそれはショック。

「一緒に夕飯を食べませんか？」

「どこ？」

「どこに行きたい？」

「芸者に。何について話しているのか、聞きたい。でも聞いたのは、クラブに似たような話」

「まあ、そうだね。一言で言うと、芸者はプロのファッカー」

「やはり、売春婦？」

「いや！　それはどこか街で引っ張ってきたものじゃない！」

「エリートな売春婦……」

数日後一緒に京都に行った。いわゆるティーハウス。光沢の雑誌で広告のない場所。日本のお金持ちのお客様しか行かない場所だ。

「何しても、僕は運転が上手。安心してください」と私のガイドが言った。

「見て、あなたは赤信号で走った！　今も赤信号！」

「それはほとんど黄色だった！」

「今は反対側に入ってきた。それでも大丈夫？！　トラックが向かっている。多分、曲がった方がいいんじゃない？」

「本当だ！」

「まあ、あなたは運転が上手、イタリア人と馬が合う。でも、京都に着くようにちょっとゆっくり行けませんか」

「多分、僕はドキドキしている」

「ドキドキしないように、京都のカエルと大阪のカエルについての日本の民話を話す」

「それは二匹とも大阪と京都が違う街だと分からなかったやつ？」

「すごいまとめ。そういう風に今までも人生を送っている」

京都まではやはり無事に着いた。祇園街、『一力』に近づいてきた。最も古い日本のティーハウス。玄関で厳しく日本のガードマンに止められた。

「どなたですか？」

「……様のご招待です」私の相手はそのハウスのレギュラーのお客様の名前を述べた。「六時にお約束です」

それで、もうティーハウスのママさんが頭を下げたりしている。

「N様は今向かっています」と彼女は言った。「金沢の芸者と来る予定です。お座りください。相手はすごく美人ですね。金色の髪。輝いている！」

はい、芸者には光のあるゴージャスな洋服を着ることにした。シックなハイヒールは玄関に置いておくしかなかったけど、光のある黄色の洋服、スカーフ、ストッキング、ゴッホの絵のモチーフにしたバッグもあった。

まもなく若い芸者と目上の政治家が来た。そのハウスの尊敬されているレギュラーのお客様。スナックと飲み物はもちろん、お話しや、三味線の演奏や、歌や、踊りもご馳走になった。芸者さんは様々な年齢と性格だった。話題はクラブと似たような話題だったが、ちょっとだけ上級だった。

「この間その国の大使がいらっしゃった。先週はあの国の大使がいらっしゃった……」

「芸者Aは今どこですか？」

「今日彼女は出張です」遠回しでママさんが説明した。

翌日、ホテルの仕事仲間に、もう外国人のお客様には芸者についての話があると打ち明けた。

仕事仲間の友達が、明らかな羨みで言った。

「私は日本人。それで誰も芸者に、特にそこに連れていったことがない！」

私は彼女を驚いている目で見て、彼女は突然に変わった。

「エバ、何であなたはここで働いているの？」

「どこで働けばいいの？」

「あなたに全く働く必要はない」

「それはつまらない」

私はホテルのロビーにいる。外国人のお客様が近づいてきた。

「結婚していますか？」

「そのような感じです」

「あなたはすごく美人です」

「いいえ。この制服にはあまり」

「誰がそう言いましたか？」

「自分ではそう思います。私にはこの制服が似合わないです」

アメリカ人のお客様が聞いた。

「あなたはロシアからですか？」

「ウクライナからです。私の発音で分かりましたか？」

「はい」

「すみません、私はネイティヴではないです」

「いいえ、とても可愛いアクセントです」

「ありがとうございます」

アジア人のお客様が来た。

「日本の名字だけど、見た目はまるまる外国人」

「はい、私は外国人です」

日本人の女性のお客様が私に悩みを言っている。

「全く東京には居られへん。何も言われへん、冗談も言われへん。冗談を言うだけで、変に見られる。外国人も好まれへん、私は英語ができひんから」

マネージャーにお願いされた。

「杉原にそれを全部コピーするようにお願いしてきて。彼は今ビジネスセンターにいる。多分、メールばっかりで遊んでいる」

『今の私のホテルの仕事はもちろん一時的だけ。私は履歴書も半分消したし、オーバー・クアリファイドと言われないように』と突然考えた。

ホテルの仕事が段々つまらなくなってきた。毎日昼休み後、十分ほど遅刻したり、よく長いトイレに行ったり、ホテルのお客様はウザいと思っていたり、仕事仲間にはシュッと言っていたり、仕事に寝坊していた。

……朝。電話が鳴っている。

『誰が朝早く起こしたの?』電話に出ず、考えた。電話が止まった。『まあ、いいか。起こされたんだったら、何時か見よう。あとどのぐらい寝てもいいのかな』電話の時計を見た、ついでに誰の電話だったか見た。十一時十五分、職場からの電話だった。その日の私の出勤は十一時からだった。声と考えが揃って、掛け直した。

「実は……今日はもう言うことがないです」

「分かりました。そうしたら何も聞かないです」と電話で答えた。「でも、来て、仕事に来て。来れる時でいいので」こうしてマネージメントは、私の蓄積されたデメリットをもう取り除く手段を講じるころだと決めた。首にさせられる? いいえ。叱る? いいえ。罰金を支払わされる? いいえ。

彼らは最後の一手を打った。もっと責任のある仕事をさせた……そして、私はダブル・パワーで働き始めた。多分、彼らは私が退屈になったのが分かった……

夕方。愛する人からの電話に出られなかった。メッセージを送った。

『あなたは僕のことをすごく無視している…悲しい』『何で無視しているの?』『僕がいなくても平気と感じている。スーパーショック!』『今は仕事に集中しないといけない。私はもう評判がいい。評価が高い』『あなたは僕だけを低く評価している』『いいえ。そんなことない!』

彼に電話した。電話に出ない。

十分後彼が掛け直した。

「もうあなたをただ聞く、ただ見るのができない! もう限界!!! もう僕はあなたには必要ないと思った!」私をとても驚かせて、彼はすごく感情的に電話越しに叫んだ。

「何でそう思ったの？　私は全く違うメッセージを書いているのに！　いつもあなたのことを考えている！」

「僕はあなたを考えながら、マスターベーションばっかりしている。聞きたい？　聞いて！　音はどう？！

今度はあなたに入る？！！　僕を愛しているの？！！！」

「愛している」

「愛していないともう思った。愛している。僕のことを愛しているの？！！！！」

「はい」

「あなたを全てキスする！！　あなたは全て精子に注ぐ！！！　それはもう止まらない！！！！！」


打ち合わせ場所に同じスポーツカーが停まっていた。運転席には背が高くて、スポーティーな男性が座っていた。出会った瞬間から彼を見るだけで私は溶けていた……私はちょっと遅れた。

「待っててくれて、ありがとう」

「…待ってたよ…」

「先の電話の時、酔っ払っていたの？」

「いいえ。愛している」

二人の初めての夜を述べることができない。私の言葉の力が足らない。二人の初めての夜について黙るしかできない。息を止めて、脳の細胞と、体の細胞と命が戻ってきたことを思い出す……

次の次の次の次の日もまた仕事、仕事、仕事、仕事……

愛する人とのメッセージしかしない。『二十一世紀らしくない。もう一週間は電話でさえ話せない。私のことをほったらかしっぱなしにしないでください。あなたと毎日話したい』『大好きよ』

やっと夜遅く電話で話した。

「ハロー。忙しいよ」

「元気？」

「元気だけど、すごく忙しい。チュウはどこ？」

「現実にあなたにキスしたい」

「いつ会えるのかな？」

「電話でさえ話せない」

「一緒に暮らさないと」

「一緒に暮らすの？！　あなたは夜しか帰ってこない。朝早くにはもう出かける」

「それはしょうがない。それは日本。僕とのベッドには良かった？」

「あなたの全てが好き」

電話でキスの音。

「僕もキスして」と愛する人が頼んだ。

「電話でキスはできない」

「すごく愛している！」

二回目の二人の夜は一流ホテルのプレジデンシャル・スイートだった。まあ、そうなってしまった……

エクスタシィの時。

「結婚しようよ！！　結婚しようよ！！！」

彼に断れるの？

「頭からつめ先まで愛している……」

「私の人生では二回目の一番素敵な夜だった」と彼に答えた。

私たちの関係が神様の目には罪だったのが分かっていた。二人ともそれを分かっていた。でも私は彼のことこそお祈りでもらったと思った。その時、結婚は話だけだったけど、私の離婚はまだまだ進めなかったから。ある機関には私に書類を出すのをきっぱり断った。どうやってそれをもらえるのか遠回しにして考えないといけなかった。

公的な夫からは相変わらず何も連絡がなかった。メールも、スカイプも。それは二人の間に大きな穴があるもう一つの証拠だった。子供達と話せる手段を見つけたけど、新しい電話番号を調べた。

「ママ、いつ帰ってくるの?」

「あなたがいないと悲しい!」電話で二人の声を聞いている。

全ての書類がまだ揃えなかったことにも関わらず、やっと日本の弁護士と初めての契約を結んだ。何で初めて? ちょっと前に進む。その後は二回目、三回目の契約になったまでだ。どうなっても、どこかから始めないといけなかった。最初は私から日本の弁護士にチャリティー・キャンペーンのようなことだった。

初めての弁護士の役割は、口頭で相談やコメントをしながら、私の話を聞くことだけだった。そして、違法なことをするように挑発されていた。

でもその弁護士は日本で私の公的な代理人だったので、以前は理由もなく、日本の機関に断られた重要な追加の書類をもらえた。その事実だけでも私のケースを前に進めた。でもその書類を弁護士に見せた時、彼が叫んだ。

「どうやってもらったの?!!」

そのような反応はもっとも不思議だった。

でもある日、弁護士は長年かかりそうな調停を私の場合にはスキップしてもいい、すぐ裁判を始められるという素敵なことを決めた。素晴らしい。本当に、調停でもう話す話題はなかった。

そして、もう娘達を連れて来てもいい時期になった。

ホテルでは全て通常通りだった。マネージメントは私のことを可愛がっていた。私は世界中のお客様からいっぱいグッド・コメントをもらっていた。

「このホテルで注目されるのは須田さんのホスピタリティーだけです」マネージメントの前で、外国人のお客様が褒めた。

私の出勤が始まって、仕事仲間が話をしている。

「雨？」

「まだ」

「すごく暗くなってきた」

「お！　須田さんが来た。すぐ明るくなる」

「ちょっとお願いしていい？」一人が私に聞いた。

「いいよ」

「でもそれは個人的なお願い。あとで。お客さんが少ない時」

「いいよ」

ちょっとしたら、彼女はまた私のところにやってきた。

「エバ、英語で手紙を書いてくれる？　友達の娘のために。彼女は十二歳なのに、まだまだサンタクロースを信じている。サンタクロースからの手紙のように書こうと思っている。もう文章は考えた。それをカードに写してくれる？　あなたは手書きが綺麗」

隅に隠れた。書いている。マネージャーが相変わらず笑顔でやってきた。走りながら聞いた。

「須田さん、ここで何をしているんですか？」

サンタクロースから手紙を書いているとは言えなかった。

部署には色々なお歳暮を持ってきてもらっている。来年のカレンダーも。

「脚下を見よう」若い男性のスタッフがカレンダーを読んでいる。「それはどういう意味？」と、私に聞いた。

「先ずは周りのことではなくて、自分の行動と言葉に注意するという意味」

若い女性のスタッフが怒った。

「何で日本の表現を教えるように彼女に聞くの？！」

「ウクライナにマトリョーシカはある？」突然にまた私に聞いた。

「もちろん」

「ところで、マトリョーシカは、最初は日本で生まれたことを知ってた？」

「世界中の有名なクリスマスソング『きよしこの夜』は実はウクライナ民謡」

「僕はマジよ！」

「私も冗談抜き」

外国人のホテルのお客様。

「僕達はどこかに遊びに行きたいのですが。何かお勧めはありますか？」

「どのような遊びに興味がありますか？」

「まあ……男性はどのような遊びに興味があるでしょう」

「分かりません。もし、パブやバーやクラブやディスコなどだったら…」

「まあ、そのぐらいだね」

「そうしたら、この街をお勧めします」

「タクシーでいくらになりますか?」

「五千円。でも、三人でしたら、それは高くないです」

「六人で帰るかもしれない」

「ブレイクハートないようにお願いします」

女の子がバスの整理券をお願いした。マネージャーが聞いた。

「何で整理券を渡した? 彼女は明らかにうちのお客さんではない」

「可愛いから」

ホテルに他の三人の女の子が入って来た。仕事仲間がコメントした。

「まあ、またコルガール。安モン。芸者? 歌う、楽器ができる、踊る。似たようなもんだけど、エリートケース」

ウクライナ人のグループがチェックインしている、航空関係。

「お名前はなんですか?」

「エバです」

真剣に私のジャケットの名札を見ている。

「ここには何か色々な装飾が描いてありますね」と二人目が言った。

三人目は。

「あ! 金髪。そうしたら、ポディル区の人ではないですね。僕達はウクライナのカルゴ『ルスラン』からです。世界で一番大きな飛行機! いつも一流ホテルに泊まっています!」

うちのホテルでは結婚式のビジネスも流行っていた。結婚式前のロマンチックなプロポーズもよくあった。

「Tさんは今日プロポーズする。先ずはラウンジでろうそくの光のもとでディナー。それから部屋にお花を届けないといけない」とマネージャーが報告した。

お正月前は忘年会の時期。それもある意味で仕事の内容。女性の仕事仲間と集まった。色々注文して、食べたり、飲んだり、話している。私の採用のことを思い出した。

「花柄のフラフラドレスで、玄関からやってきた！『人事部長を呼んでほしい。電話予約はなしですが！』」

「あのドレス！　あなたの自己アピール！　私もそうなりたい！」

「あなたは何も問題ない！　でも一番驚いたのはそのような芸術的なアプローチにポジティブな反応だった！すぐ採用！」と私は言った。

「ほら、素敵なバッグ！　すごいブランド！」

「昨日、気分転換のために買った。ちょっと大きめのものもある。デパートに来て、バッグを見ている。二つともすごく気に入った。『もし二つ買えば、ディスカウントをしてくれませんか？』と店員に聞いた。

「それで？」

「『二千円でもいいので。お金のことではなくて、気持ちとして』『ちょっと年上の店員が聞いた。『現金ですか？』『はい』『私のカードで五％引きにしてあげる』『ありがとうございます』　それで二つフェンディのバッグを買った」

「デパートでディスカウントを頼んだ？　あなた……」

翌日はまた仕事…

ホテルのお客様はお正月前の気分だ。

日本の若いカップルが近づいた。

「あなたは綺麗ね」

「みんな綺麗です。美が違うだけ」と答えた。

「遠慮することはない」日本人の女性が言った。「あなたはどこから来たの？」

「ウクライナからです」

「統計によると、ウクライナは美人が一番多い国です」

「はい、そう言われています。ですので、美しさ以外にも何かないといけないです」と冗談を言ってみた。


中国人のスチュワーデス。

「あなたの顔の表情はアジア人みたい。冷静な笑顔……」

他のお客様。

「あなたはウクライナ人？」

「はい」

「だと思った」

「私の発音で、それとも私の外見で？」

「あなたのホスピタリティーで」


愛する人とある理由で会えない。夕方にメッセージを送った。

『愛している。一緒じゃないと、空虚さを感じている。今は泣いている……言ってしまってすみません……愛している』

『あなたも愛する人。涙はいらない。笑顔で寝てください。おやすみ』と彼が答えた。


クラブに来るようにお願いされた。お正月前はお客さんがいっぱい。お客さんは飲んだり、遊んだり、ふざけたり、つまりいっぱい人生を楽しんでいる。

「お！　素敵なパソコンのケース！」アガタが言った。

「お客さんからのプレゼント。私は何もいらないと言っていたのに」

「エバ、何であなたはいつも何もいらないの？　いいの？」

「本当に。ちょっと考える」

「ジュエリーにすればどう？」

それで私のレギュラーのお客様が大きな袋を持ってきた。

「あなたは、もしプレゼントに綺麗なリボンとパッケージのラッピングがなかったら、プレゼントではなくて、ただのお買い物だと言っていた。プレゼントをどうぞ。でも、すみません、僕は綺麗な袋に入れたけど、リボンはしなかった」

「あ！　毛皮のコート？　これは……このプレゼント……リボンをしない方がいい。毛皮が悪くならないように」

すぐに着てみた。

「すごくいいね！　大きな鏡で見ていいですか？　あ！　私にすごく似合う。あなたがそんなにセンスがいいとは思わなかった！　デザインも、色も、サイズも！　ありがとう！」

「今日は毛皮の夢を見てください」帰る時、さようならの代わりに言った。

「あなたはすごいプレゼントをもらっている。自分のプレゼントを見るだけで、涙が出そう。でも贈り物にけちをつけるな」とミラが言った。

「私は歯無しの馬はいらない！」と答えた。

大晦日はホテルで夜遅くまで仕事。お正月は朝早くまた仕事だ。

新年の夜に愛する人にメッセージを送った。

『人生の残りはあなたと過ごしたい。明けましておめでとう！』

『僕も。明けましておめでとう！』

『私は今一人。初めて、お正月に一人…おやすみ』

『一人で残してごめんね。初夢はどんな夢かな？　おやすみ…』

一日は愛する人からの電話。

「明けましておめでとう！　今家にいる？　今から行こうと思っているけど」

「今は仕事。みんなが休んでいる時のホテルは忙しい」

「いつ会えるの？　夕方に弟が家族と来る……」


お陰さまで子供に電話ができた。娘達が先を争って話した。

「ママ、すごく愛している！」

「ママ、頭をなでると大好き！」


お正月の時、ホテルはとても綺麗。ロビーで日本の音楽家が三味線を弾いている。様々なホールでは子供のための色々な遊びがいっぱい。外国人のお客様も日本でのお正月を楽しんでいる。

「日の出を見に行った！　地球では今年初めての日の出！」喜んで私に言っている。

「私たちは初詣！住吉大社に行った」他のお客様が驚いている。

日本人のお客様が来た。

「こんにちは。いらっしゃいませ」挨拶した。

「どこから来ましたか？」

「ウクライナからです」

「遠くから、遠くから。『ウクライナの春』は日本で有名なウクライナの民謡。飲んでからいつもその曲を歌っている。知っている？」

「題名だけで、和訳の形だし、分かりにくいです。ちょっと歌ってくれませんか？」

「今は難しい。今は酔っ払っていない……」

中国人のお客様が来た。

「こんにちは。部屋にカギを忘れた」

「部屋番号を教えてください」

「覚えていない」

「パスポートの名前は？」

「はっきり分からない……」

「外国人のお客様の世話はしにくい」近づいてきた日本の仕事仲間が言った。「みんな興奮し過ぎて、日本に来た訳！　宇宙人の国！　お正月だし！」

「でも、何とか手伝ってあげないと」

お陰さまで、その問題は解決した。

……お正月の時期が終わりそうだ。ホテルのお客様も減ってきた。それで暇な時期に入った。

日本のお正月の盛り上がりの後はクラブでも話題が落ち着いてきた。

クラブのお客さんが聞いた。

「ウクライナの首都はどこ？」

「ネット的な質問をするの？」

「ネット的ってどんな意味？」

「ネット的。ネットで調べたら、すぐ分かる。アイフォンある？　今すぐ見てみてください」

あるサイトを読んでいる。

「キエフはウクライナの首都。キエフはロシアの街のお母様。これはどういう意味？」

「キエフからロシアの街が生まれてきた。ロシアの生まれはキエフから、キエフ大公国からです。こういう風に私たちの歴史が繋がっている」

他のテーブルに座らせた。

「あなたは僕達には上から見てるでしょう？」ニコニコしながら一人のお客様が言った。

「いいえ、いいえ。私そんなに背が高くないよ」笑顔で答えた。

それから私のインテリのお客様がやって来た。

「ミレーディ、お元気でしょうか？」

「ミロールのメッセージと本日の訪問のお陰で、最も元気になっていますよ」

「知り合った時、クラブに来て外国人をからかってやろうと思っていた。あなたを座らせて、からかう気分が全くなくなった」

「ありがとう。名古屋からこちらに引っ越ししたし。その仕事は辞めて良かった？」

「はい」

「京都にはよく行く？」

「いいえ。京都で有名なレストランに行たら、文句言えない。何か気に入らないの？　そうしたら、何でここに来たの？　その反応しかされない」

「そうよ。ちょっと聞いていいですか？　ちょっと遠慮する質問ですけど…」

「聞いてよ」

「芸者のことは？」

「芸者？　それは男性の遊び」

「セックスも含まれる？」

「セックスも含まれる」

他のテーブルに楽しい仲間達と座らせた。若いお客さんがすぐ聞く。

「日本のどこが一番好き？」

「いい質問ですね。ちょっと考えないといけないです。好きなのは、礼儀正しいこと、働き者。好きじゃないのがいわゆるラブホテルの習慣など。日本では浮気しやすいことも好きじゃない。奥さんは夫のことをチェックすることができない。職場に来るどころか、仕事中は電話でさえできない。夫は仕事に行くふりをして、色々着て、それでホテルのデイ・ユースです」

他の若い仲間達のところに座らせた。

「どうやって女の子はベッドに誘われる？」

「それがそんなに大事？」

「まあ、第一優先だよ！」

「分かった。彼女に沢山いいことを言って、彼女はとても特別、珍しい、彼女をとても愛している。そのようなこと。自分の実績を誇張して。それで……自分の行動をあまり遠慮しないで。でも忘れないで、それぞれの買い物にはそれぞれのお客さんがいる」

中年代の新しいお客さんと座らせて、彼とクラブらしくない話題になってきた。

「タタールのくびきがキエフ大公国に入った時、それもまたウクライナ人の民族性への重なりの一つの原因になった」と彼が続けた。

「すみません、専攻を聞いていいですか？」

「人類学者です」

「ありがとうございます。ちょっと具体的な話をしてみます。昔からウクライナには色々な民族集団がいましたので、ウクライナ人の民族の起源も、一つの民族の歴史だけではなくて、その土地にいた全ての民族集団の歴史と文化です。何世紀にも渡って、ある民族集団が他の民族集団に変えて、一つのエトノスが自然に他のエトノスに伝わった。スキーフ、グニー、サルマティ、スラブ、ポロブツィ、タタールなどがウクライナ人の民族性に参加しましたが、移住と同化にも関わらず、エトノスの根本が残りました」

「何か注文しましょうか？」

「カクテルをお願いします。ありがとうございます」

「それは面白いです。僕もいつも知りたかったのは、何でウクライナ人はそんなに違うのか。髪の色も、目の色も。それでも自分はウクライナ人と言っている。どんな特徴から区別されるのか分かりません」

「ウクライナ人には同時に複数の人類のタイプが混ざっています。ドゥナイスキー、ポリシキー、上ドニプロブスキ、中ウクライナ、下ドニプロブスキ・プルシキー、ディナルスキー、カルパツキーです。人類の数だけでも、どこまでウクライナ人の外見が異なっているのか結論を下すことができます。髪の色、目の色、頭の形、肌の色、体の作り」

そんな風に、ほとんど講演みたいな形でカクテルとウイスキーでクラブの話が進んでいた。

「インテリなお話をありがとうございます」

「こちらこそ、ありがとうございます。さようなら」

翌日、ホテルのブリーフィングにちょっと遅刻した。自分で悪かったと分かっていた。仕事仲間が慰めてくれた。

「あなたが遅刻するのはみんな分かっている。単純に謝って、一言で教えてもらって」

「もう謝るのは遠慮している」と言っているけど、自分の体力がもうなくなりそうと分かっていた。

お陰さまで、いっぱい外国人のお客様が来た。私のサービスはいつも必要……

愛する人にメッセージを送って、返信ももらった。『幸せなのはあなたとだけです。愛している』私はもう男性との関係では何もいいことを感じられないと思っていた。でも彼と出会った……

やっと会えた。彼が思い出していた。

「今でもよく覚えているけど、小学校で勉強していた時、お母さんが家族全員、子供も三人集めて、どこか夜中にお祈りしに連れて行った。私たちがやって来た時、もう三十人ぐらい集まった。僕はすごく眠かった。明日は学校だし。でもお母さんは夜中こそお祈りしないといけないと。それはとても大切だと言った。それでみんなで祈った。今でもはっきり覚えている…ソ連のため。その時、ソ連では宗教がほとんど禁止されていたでしょう……」

「ありがとう。多分、だからこそ私たちが出会った。でもウクライナでは今は日本のために祈っている……」

愛する人は日本人について色々なステレオタイプを変えた……

ホテルで若い仕事仲間がちょっと緊張して言った。

「今日僕は初めてブリーフィングする」

「人生にはよく初めてのことがある。最後の最後まで。一番最期のことも含めてです」と彼に言った。

白髪だらけのインド人のお客様は私に聞いた。

「ポーランドからですか？」

「とても近いです」

「僕が若い頃、それは四十年前ぐらい、二年ほどポーランドの女性と付き合っていた。彼女とすごく結婚したかったけど、父が許可しなかった！」

「インド人と結婚して欲しかったのですか？」

「はい」

「まだ彼女のことを覚えていますか？」

「忘れたことがない。もう自分は結婚しているし、子供も三人いる。長男はカナダに留学している」

「彼が外国人と結婚するのは許せますか？」

「もちろん！　今の時代はもう全く違うし」

……国際結婚。どうやって強めるの？


三月一日。愛する人にメッセージを送った。

『春』

『今はあなたに入って、全て精子にする』

『また腰を手で揺らして』

『揺らすよ。下からも壊れるぐらい』

『お姫様抱っこもまたしてね』

『チュ、チュ、チュ』

彼から新しいメッセージをもらった。

『子供が欲しい？』

『はい。あなたがうちの子供を抱いている姿を見たい』

『子供を生んでよ』

『はい、男の子』

『男の子でも、女の子でも、嬉しいよ』

『あなたがパパだったら、男の子の方がいい。あなたの体型で！　でもうちの息子は女性にはすごく危なくなる』


……ホテルではロシア人のお客様と話している。

「教えてよ、どうやってあんな全面的に素敵な男性と結婚ができるの？」と旦那の隣に立っていた二人の女性におどけて聞いた。それはみんなの気分転換になった。全て止まってしまった」

「何に悩んでいるの？　一流ホテルで働いて、ジャケットには日本の名字の名札がついている
「もうみんなに嘘を付くのが飽きてしまった。全て大丈夫、全て大丈夫。夫と今は離婚中。あ、後ろはギター？

私はギタリストに悪い連想がある。前夫も、公的にはまだ現在の夫ですが、ギタリスト。彼はいつも家にいた。

私もいつも家にいた。彼には『愛し合おう』と言ったら、彼の答えは『ちょっと待って。ギターの練習が終わってから』彼はギター、コーヒー、コーヒー、ギターです。私は一人で寝て、一人で起きる。彼はヘッドホンをしたままギターの練習を続けている。私はそれをすごく我慢した。それで、一年、二年、三年が経った。十年後もう我慢できず『もう離婚だ、裁判離婚だ』と言った！」


私の休日にやっと愛する人と会えた。

「すごく久しぶり。もうキスの仕方を忘れたぐらい」

「今から思い出そう」

挨拶は相変わらず横になったまま…

「日本人について統計記事を読んだ。そこにはどの国で日本人男性が一番好かれているのかが書いてあった。第一はアジアの国。どの国に一番好かれていないと思う？」

「ウクライナ」

「そうよ！　これを見た時！　黄色と水色の旗、それで書いてあるのが『ウクライナ』僕は目が回ったぐらい。理由も書いてある。『日本の男性を理解するのが不可能です。宇宙人みたいです』

「まあ、そう」

「僕が考えたのは…それは何？　あなたの愛は奇跡じゃ！」

「まあ、そう」

「すごい！　でも僕はそんなに珍しくない」

「珍しいよ」

「なぜウクライナの女性は日本の男性が好きじゃないの？　まあ、はい、彼女達は美人、日本人はあまりハンサムではない…」

「理由はそれではない、外見ではないよ。多分、本当の理由は日本の男性は女性のことを一般的に尊重していないから。女性は床の下にいるモンみたい。そして、ウクライナの女性は自分の成長を大切にするけど、ほとんどの日本の女性はそれがない、成長しようと思ってない。そのようなウクライナの女性の傾向は日本の男性には分かりにくい」

「あなたも僕のことをそろそろ嫌うの？　嫌わないでください」

「憧れているよ！」

彼と会って、脳の全ての細胞がピカピカになったと感じた。二人はぴったり…

外国人で、レギュラーのホテルのお客様が近づいて来た。

「もう世界中ではよく知られているけれど、ウクライナは美人が一番多い国です。それはウクライナの女性のプライドみたいです。例えば、キエフでレポーターが番組の内容を言わず、街で歩いていたウクライナ人の女性に早速に聞いた。『世界中でウクライナは何で一番有名だと思いますか?』彼女はすぐに『美女!』と答えた」

「綺麗な女性はもちろんどんな国にもいますが。多分、割合です。ウクライナには周りから見たら、綺麗ですね。多分、だから美以外で、他の面でも活躍しようとしています。例えば、ただのお人形さんではなく、素敵な人柄になるように、いい教育を受けて、霊的にも、知的にも成長します。家庭や家事やホスピタリティーも大切にします。ウクライナの女性が綺麗だとよく知っています。それはもちろん美徳ですけれども、これで鼻は高くならないです」

「どうしてウクライナには美人がそんなに多いの?」

「正教会の信者が一番多いからです」

「それはどういう意味ですか?」

「そういう意味です。それで大昔から血が混ざっていて、トラフィックがいつも多かったです。誰かが民族の純粋さを助けようとしています。誰かが世界を助けようとしています。よく知られているのは美が世界を救います」

突然他の外国人パイロットが来て、同じ波だ。

「美人だけではなくて、エレガントだよ! もしもアメリカかカナダで綺麗でエレガントな女性を見かけたら、必ずウクライナ人!」

昼休みの時、日本の男性の仕事仲間とコーヒーを飲んでいる。

「大阪？　それはウクライナのオデッサ。みんな冗談を言っている」

「僕の理解では、あなたはオデッサから来たね」

「恥ずかしながら、私はキエフからです。オデッサに引っ越したいけど、そこではすぐ聞かれる。『何であなたは首都から田舎に来たの？』って。だから、大阪に引っ越した方がいいと思った。ここではそのような余分な質問は誰も聞かない」

「僕は聞く！　何で東京からここに引っ越したの？　そこは賢い人が多い」

「ここは楽しい人が多い。サルについての冗談は知ってる？　教えてあげる。動物のところに審査員がやって来て、みんなに言った。『並んで！　左は賢いもの、右は美しいもの！』みんなはぱっぱと並んだ。サルだけ右、左、左、右へ走っている。また言われた。『サル、もう決めてください』サルは『だってどうする？　自分を半分に切るの？』」


愛する人と電話する。

「日曜日の夕方に会える？」

「夕方はお父さんと会わないといけない。電話で彼に結婚のことを言った」

「どんな結婚？」

「私たちの結婚。彼がすごく怒った！」

「この話は早すぎないの？」

「早すぎない。彼は血圧が高い。一気に怒らせない方がいい」

「任せる」

「だから日曜日に彼と会って、話し合わないと」

日曜日の夕方に電話。

「話した。いいえ、ダメ！　彼は頑固」

「他の答えを期待しなかったけど。うち関係にどんな影響になる？」

「何とか彼を溶かせないと。妹みたいに、みんなの親戚が僕のことを知らなくなると困る。それで死ぬまでお父さんの顔を見ないとか大変……」

「お父さんは何をして欲しいの？」

「結婚だったら、日本人とだけ」

「みんなの日本の女性にヤキモチを妬いている！　もしも私が日本の国籍を取ったら、彼にはそれで日本人になれる？　もちろん、なれないでしょう。ところで、離婚後はもうお父さんと再婚について話したことはある？」

「いいえ。再婚までしたい女性がいなかった」

「お父さんとはどんな話だった？　ちょっと詳しく教えて」

「最初はお父さんに電話して、彼と会いたいと言った。やってきた。彼は『驚き、驚き。お盆でもない、お正月でもないし』先ずは軽くいろんな話をした。お母さんはどう、弟はどう、妹はどうって。それで僕は再婚したい相手がいると話し始めた。『何歳？』『三十七。彼女は日本人じゃないけど』『アメリカ人？』『いいえ』『中国人？』『いいえ』『韓国人？』『いいえ。ヨーロッパから来た』『日本で何をしているの？』『日本人と結婚している』彼が叫んだ。『他の家族を壊すな！　それを僕に言いに来たの？』それで頬を殴った。『死ね！　レディ・スレイヤー！』そういう話だった」

「私の結婚について話をしない方が良かった」

「嘘をつくことはできない。それは事実」

「もう離婚したと言った方が良かった」

「今度言ってみる。でも彼は、僕のせいで離婚したと言い始める」

「実はあなたは他の家族を壊している訳ではない。夫とは結婚ではなくて、まだ手続きが終わっていない離婚。お母さんは何と言っている？」

「いつも同じこと。祈りましょうって」

「私の母も同じ。そうしたら、焦らない方がいい」

「もう早くあなたと結婚したい。子供も欲しい。人生は一度しかない」

「それでどうする？」

「分かりません。お父さんが亡くなるまで待つ」

「それはちょっと。結婚するためにお父さんの死を待つの？　それでお父さんが死ぬ前に『エバは絶対にダメ』と言うかもしれない。それは悲しい」

「それはとても悲しい」

「私と会うのは禁じられなかった？」

「いいえ」

「それはいい」


外国人の彼氏がいた女性の仕事仲間に聞いてみた。

「両親は外国人との結婚は大丈夫？」

「お父さんはダメ」

「でもあなたの彼氏はアメリカ出身、先進国」

「お父さんには関係ない。外国人は外国人」

「彼は何で反対なの？」

「日本語でのコミュニケーションや日本の社会と難しくなる。孫が海外に行ってしまって、会えなくなるとか」

愛する人にメッセージを送った。

『あなたがいるという考えだけで、心があたたかくなる』

彼がすぐ掛け直した。

「今日はボストンのテロのためにみんなで教会でお祈りする」

「私も参加したい。お母さんを紹介して欲しい。教会でどう？」

「彼女は必ずお父さんに言う。焦らない方がいい」

「ナイショにできないの？」

「必ず言う」

「もしも彼女と会えたら、私の印象はどうなるのかな？」

「ポジティブだと思う」

「あなたにあげたタオルをもう使っている？」

「保存しているだけ」

「一緒に暮らす時に使ってくださいと言ったけど、それはいつになるのか分からない。もう使ってね。ただ置いておくだけ？　お母さんに私の写真を見せた？」

「見せた。若く見えると言った。子供はどう？　寂しがっている？」

「もう怒っている。多分、パパの影響だと思う。彼は大家と問題になっている。家賃を払っていない。大家が来た時、彼が叫んだ。子供と学校は大丈夫。長女にはもう好きな男の子がいる」

「何？」

「好きな男の子がいる。一年生から。両思い。彼はそのままバレンタインカードに書く。『あなたが大好き。愛している』と。ところで、私は自分の気持ちを伝えるのを子供から学んだ。簡単に、直接に、率直に。前はできなかった」

「僕もあまりできなかった……十二時前に寝てみてください」と突然に言った。「健康にいい」

「私は気が付いた。もし自分の生活に満足だったら、病気からは遠ざかる……」


私は何とか仕事の休暇を取って、すぐに子供を連れて行くためにキエフに行った。夫に会って、彼の反応はまた相変わらずだった。全ては通常みたい。私は驚かなかった。静かに従順に料理を作ったり、洗濯したり、家事したり、子供と散歩したりしていた。夫は全ての日常生活をICレコーダーに録音した。子供と散歩に行く前に夫は私たちが持っていたものをよく見た。ある日、私たちは相変わらず軽いハンドバッグと人形を持って……そしてもう帰らなかった……


おかげさまで、日本で早く生活の準備をした。ちょっと大きめのアパートに引っ越して、公園が多くて、環境がいいところ。長女はすぐに日本の学校に通った。次女は日本の保育園。私の休暇がまだ続いていたので、楽しく一緒に過ごした。

子供達と日本の弁護士に会った。過程がちょっと早く進めるようになった。

ウクライナの弁護士が相談してくれた。

「この問題はあまりにも気に入らない仕事だと思ってください。感情なし」

大切な相談。でも、過去の事件の痛みは自動的には治らない。何とか治るようにするしかない。

娘達は思わず、私にいい相談をしてくれた。

「私たちの叫び、イライラ、怒りで、鬼たちは喜ぶだけではなくて、もっと強くなっている！」とエレナが言った。

「はい」次女が続いた。「鬼たちは特別な棒を持って、これで心を触ったら、心が石になる！」


愛する人に電話した。彼がすごく怒った。

「勝手に子供を連れてきたの？！」

「会おうよ。話し合おう。お願い」

「勝手に子供を連れてきたの？！！　あなたが大嫌い！！！！」

とてもショックだった。いくら彼に書いても、電話しても、無理だった。考えさせられた。

彼のお父さんは自分の娘ともう三十年以上話していない。私たちもこれから三十年は静かになるのか。ガルシア・マルケスの『百年の孤独』か？

ウクライナ人の友達と会った。

「それで何も聞こうとしなかったの？」

「何も」と私は答えた。

二人は黙った。

「エバ……このストーリー、もう終わらせた方がいいんじゃないの？」

「どんなストーリー？」

「この。この本」

本当に……

日本人の友達と外食している。

「何であなたは落ち込んでいたの？　仕事は問題？」

「いいえ。仕事は順調です」

一言で事情を教えた。

「何？　マネージャーと付き合っているの？！　僕は日本の大きな建築会社の社長！　あなたはマネージャーと付き合っている訳！　彼の年齢で、もしもあなたと付き合いたかったら、建築ビジネスだったら、もう立場的にはシックなスーツとネクタイをしないと！」

「怒らせたみたいです」

「当然よ！　もしもその時、あなたが僕にちゃんと説明してくれたら、もう今は一緒に暮らしていたよ！　あなたは『夫、子供、義母…』と始めた訳。あなたに近づかない方がいいと思った！

「でも、夫ともう生活するつもりはないと言った。そして、あなたは自由な生活の方がいいと思った」

「でもずっと一人でいたい訳ではない！　愛する人がいる！　家に！　仕事帰りに好きな人がいるように。あなたはマネージャーと付き合っていると言っている！」

「あなたは偉すぎて、手が届かない」自己正当化しようとしている。

彼は私の手を持って、自分の手に乗せた。

「はい！　もう届いた！　じゃあ、もしも彼と別れたら、僕に言って」

「だって、もう別れた」

「それはまだ分からない。だけど、彼があなたのことを愛して、よい態度をとって欲しい……」

……ホテルのビジネスセンターに体がしっかりした英語系のお客様が入って来た。

「ロシアのどの地域から来たの？」

「私はウクライナ人です」

「あなた達のオレンジ革命は本当に楽しかった！」

「それはうちの歴史です」

それで彼は早口で独り善がりに政治や、自由や、法律や、同化や、おかしい日本や、隅に追いやられているウクライナや、自分の国のメリットなどについて話した。

「法律関係の仕事をされていますか？」

「正に」

「職場にいると自分の考えを言い出す自由は限られています」

「正に」

「でも言えるのが、私たちは一つの地球にいます。現在はその方法で考えた方がいいのではないでしょうか？」

裁判離婚についてですが、夫は、法学部の卒業生、公的に三人の弁護士を立てた。私の代理人は第一回の期日に私に出席を停止された。第一回の口頭弁論書も見せてくれなかった。

第二回の期日には、私はもう新しい弁護士と来た。でも夫は来なかった。彼の弁護士だけ。裁判官は私に三つの質問をした。

「日本語が話せますか？」

「ネイティヴではないですが、大統領まで通訳したことがあります」

「日本語が読めますか？　書けますか？」

「ネイティヴではないですが、日本語は読めますし、書けます。何か不明なことがあれば、ネットで調べています」

「分かりました。では、次の日程を決めましょう」

「ママ、私の夢はこの世に悪がないようにすること」夕飯の時、長女が言った。

「それは夢にしない方がいい」

「私の夢！　ママ！　夢は絶対にかなう！　あなたと一緒になるのが夢だった！　今は一緒に！！」

「それは私の夢でもあった…」

今は何に夢想している？　何かに夢想しているのか？　将来の計画がある。いっぱい。でもそれは夢ではない。

前はどんな夢だった？　もう一人の子供を産んで、授乳できるように…愛する人は毎日抱きしめるように。他の夢もあったかもしれない…

……ファン・ゴッホ『カラスのいる麦畑』の絵を見ている。遠くから見ている。青空、麦畑……それはウクライナの旗だ！　何か黒点？　カラス、暗い時期を思い出させるため。ゴッホの最後の絵は人生の最期の週に描かれている……

ファン・ゴッホは日本の版画、浮世絵の技術に夢中だった。その一つの特徴は、画家はキャンバスに必ず何か塗り潰されていない部分を残し、何か言い残す……

私のストーリーは？　個人的なストーリーも、作家のストーリーも？　どうすればいい？

はい……未完成な形式、未完成な物語、未完成な内容……そちらにも日本的な彩がある。現状通りに充てる……

ウクライナ、キエフ、二〇一二年二月十五日／日本、大阪、二〇一五年七月十二日

1 『エアードライヤー』の発音は『ヘアドライヤー』に似ている。英語から直訳すると『air』は『空気』、『dryer』は『乾燥器』。

2 ウクライナ語から「男の人！　男の人！！　助けて！！！」

3 英語から「予想外を期待してください」

4 英語からの直訳「地獄に行きなさい！」

5 アレクサンドル・プーシキン『サルタン王物語』より。

6 英語から『マッシュポテトをちょうだい、シンプルな生活をちょうだいよ』

7 ラテン語から「困難を克服して光栄を獲得する」、あるいは「困難を乗り越えて星のように輝く」

《推薦の辞》

日本人はウクライナ人を、ウクライナ人は日本人を理解できる一冊

日本ウクライナ文化交流協会
会長　小野　元裕

ウクライナでは一に女性、二に女性、三四がなくて五に女性。それほどまでに女性が大切にされている国だ。夫は妻を常に心にかけ、愛でる。

ウクライナの男性はよく電話をする。どこに電話しているのだろうかと注意して聞いていると、妻や恋人だ。仕事中でもお構いなし。十五分か三十分ごとに電話をかけ、現状報告をしつつ彼女の様子を聞いている。

日本のように仕事帰りに男性同士で飲みに行くことなどあり得ない。仕事が終わるや否や一目散に家へ帰る。外食する場合は、一旦家に帰り、妻を連れて出るのが当たり前だ。

そんな国に生まれ育った女性が日本人と出会い、愛し合い、結婚して日本に住むとなると、想像を絶する努力を払わなければならない。今の若者の間では男女の差はないが、つい一昔前までは男尊女卑が一般的だった。とはいうものの、世界から見ると、日本はまだまだ男尊女卑の国だ。世界経済フォーラムが調査した二〇二〇年のジェンダー・ギャップ指数（男女の平等の度合い）によると、百五十三ヵ国中、日本は百二十一位。この結果からも分かる。因みに、ウクライナは五十九位。日本とは雲泥の差がある。

本書では、主人公のウクライナ美女が日本人男性に対してある種の幻想を抱いて結婚するものの、現実はまったく違った。亭主関白で焼き餅焼き。しかも、母親離れができていない。事あるごとに手を挙げ、妻を力任せに

ねじ伏せる。その上、夫の母親は息子の肩を持ち、外国人の嫁を見下して冷遇する。
蝶よ花よと育てられた主人公には到底耐えることができず、家を出て自由を求めつつ新しい愛を探すのだが……。

日本とウクライナの共通点、相違点を恋愛と家庭生活を通して描きながら、人間の本質に迫っている。著者のエバ・ハダシさんはキエフ国立音楽大学で指揮を学び、キエフ大学で日本語および日本文学を学んだ。どちらの大学も首席で卒業している。まさに才女だ。そんな彼女が描き出す世界は、深い学問と芸術に裏付けされたもので、単なる痴話喧嘩の小説に陥ることなく、上質な香りを醸し出している。

ウクライナ語と日本語併記で、ウクライナ人でも日本人でも読める。本書を読むことで、ウクライナ人は日本人を理解し、日本人はウクライナ人を理解することができる。このような本が誕生したことは、日本とウクライナの文化交流に長年携わってきた身として、この上ない喜びだ。

エバ　ハダシ
ウェスタン芸者

2020年8月7日初版発行　©

和訳　須田エフゲーニヤ
校正　須田枝麗奈
編集　小野元裕

カバーデザイン　夜西敏成
写真（表）　高松敦
写真（裏）　西岡千春
衣装　Kimono dress by Takako Hotta

発行所
株式会社文芸雑誌ラデゥガ出版 Видавництво ТОВ «Журнал «Радуга»
Address: 01030 Ukraine, Kyiv, B. Khmelnytskogo str., 51A
Адреса: 01030 Україна, Київ, вул. Б. Хмельницького, 51A
TEL: +(038) 096-921-23-72

協力
株式会社ドニエプル出版 Видавництво ТОВ «Днєпр»
581-0013 Japan, Osaka-fu, Yao-shi, Yamamoto-machi, Minami 6-2-29
〒581-0013 日本大阪府八尾市山本町南 6-2-29
TEL: +81 (72) 926-51-34　FAX: +81 (72) 921-68-93

発売元
株式会社新風書房
〒543-0021 日本大阪府大阪市天王寺区東高津町 5-17
TEL: +81 (6) 6768-4600　FAX: +81 (6) 6768-4354

印刷所
株式会社ビジネスポリグラフ Друкарня «Бізнесполіграф»
Address: 02094 Ukraine, Kyiv, Viskozna str., 8

製本所　矢倉精美堂

ISBN9789662811575
ISBN978-4-88269-900-2

C0097　¥2000E